気候で読み解く人物列伝

❖日本史編

田家 康

Yasushi Tange

日本経済新聞出版

気候で読み解く人物列伝　日本史編

はじめに

あの日、雨が降っていたから一生の伴侶と会うことができた。あの朝、大雪となってしまい試験会場に到着するのが遅れ合格がかなわなかった。あの夜、高原のキャンプ地で突然に霧が晴れ、満天の星を眺めて新たに生きていく力がわいた。私たちがこれまで生きてきた道を振り返るとき、気象現象が大きな役割を果たしたというケースは少なくない。いずれの思い出も、歓喜やほろ苦さとともに、空の情景まで鮮明に心に映し出されてくる。

これまで、『気候文明史』（日経ビジネス人文庫）や『気候で読む日本史』（同）において、天気や気候が歴史を大きく変えてきた事例を紹介してきた。この視点は近年、高校の歴史の教科書でも強調して語られている。山川出版社の『詳説世界史B』では、導入部の「世界史への扉」の冒頭で「気候変動と私たち人類の生活」として事例を挙げている。これから世界史を学ぶ高校生がひとりでも多く関心を向けるよう、執筆陣の願望が込められている箇所だ[1]。

本書は日本史で著名な人物を取り上げ、気象現象が人生の画期となった事例を集めたものだ。歴史の大きな流れが気候変動と関わっているとすれば、それぞれの時代を生きた人々も気象現象と無縁ではない。司馬遷の歴史書『史記』の構成を読み物としてみれば、支配者を軸とする本紀《ほんぎ》、諸侯の系譜を追う世家《せいか》、そして個人の生き方を叙述する列伝の3つに分けられる。その意味で、本書は『気候文明史』あるいは『気候で読む日本史』に対して列伝に相当するものかもしれない。

図0－1　水平スケールと時間スケール

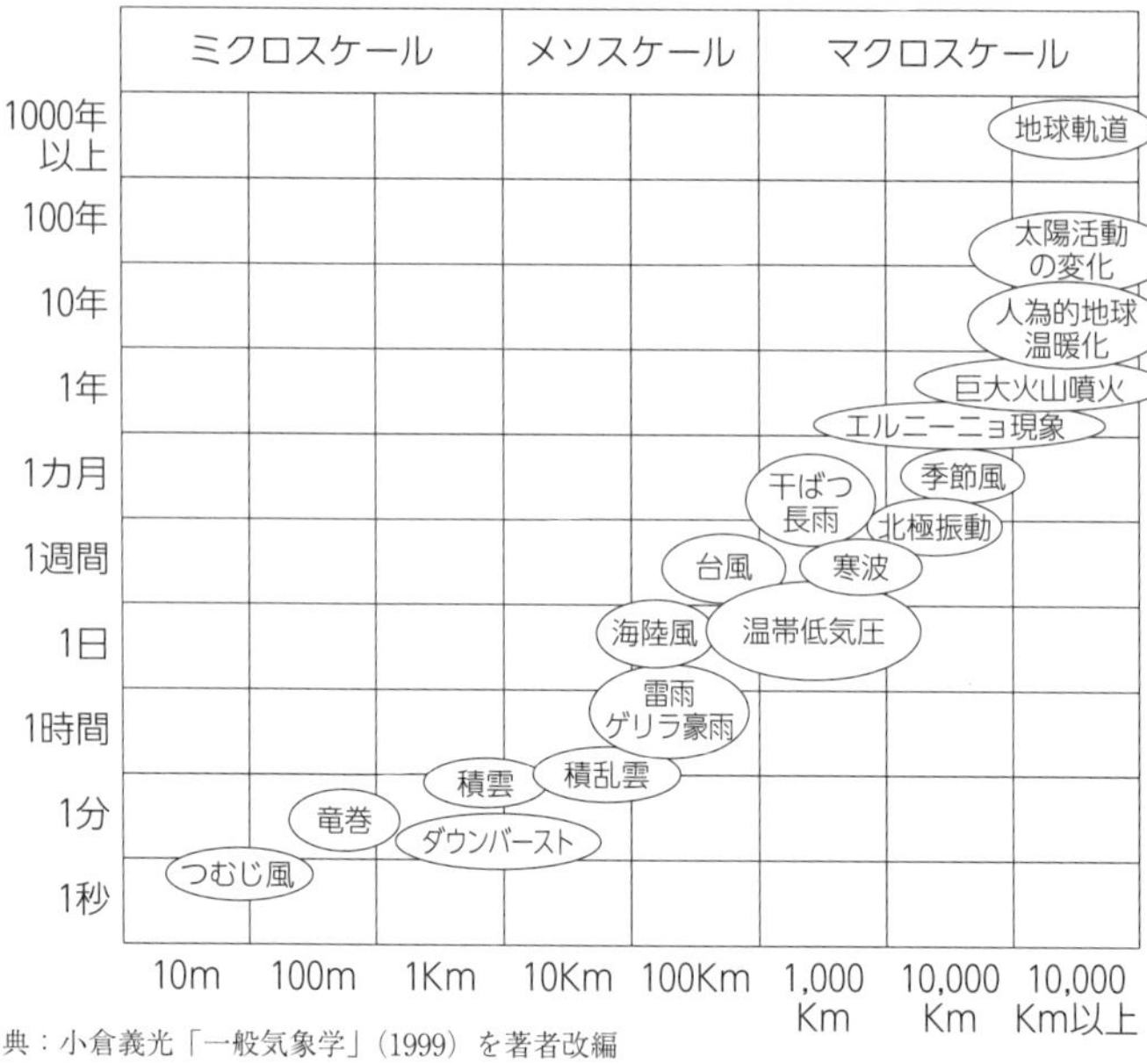

出典：小倉義光「一般気象学」（1999）を著者改編

気象現象にはさまざまなものがあるが、水平スケールと時間スケールという尺度で区分すると理解しやすい（図0－1）。数メートルの大きさでほこりが回転する「つむじ風」は1分も経たずに終わってしまう。竜巻となると数百メートルの地域を巻き込むが、それでも持続時間は30分程度だ。雷雨やゲリラ豪雨などの局地的な大雨は、10キロメートル以上の範囲で1時間程度降り続く。そして、温帯低気圧に伴う温暖前線・寒冷前線による降水は数百キロメートルの地域で半日程度、台風による大雨は長いと丸一日雨を降らせる。冬将軍とよばれるシベリアからの寒波は2週間程度続くことがあるが、これは北極振動による偏西風の蛇行に由来する。さらにエルニーニョ現象の影響となると、異常気象は世界各地に及び1年以上続くこともある。巨大火山噴火の影響となると数年、太陽活動の変化では数十年から数百年という期間で地球全体の気候の傾向を変える。全体としてみれば、図では左下から右上に並ぶように、水平スケールが小さく時間スケールも短い現象から、水平スケールが大きく時間スケールも長い現象という関係にあることがわかる。

それでは、水平スケールが広く時間スケールが長い気象現象がより大きく歴史を動かしてきたかというと、そうとは限らない。ローマ帝国初代皇帝のアウグストゥスは、ガリアからライン川を越えてゲルマンの地域まで植民地を拡大しようと侵略を試みた。ところが、紀元9年にローマ軍がトイトブルクの森に進軍したときに突然の雷雨となり、雷を恐れたことでアルミニウス率いるゲルマン諸族の軍隊に敗れてしまう。このため、ローマ帝国は国境をライン川に定め、以後2000年近くにわたってヨーロッパの西部と中部を政治的にも文化的にも分断することになった。日本史を振り返っても、蒙古襲来の弘安の役での台風は、何とも日本にとって都合の良い時に訪れたものだ。このように、比較的小規模で短時間の気象現象でも歴史を変える役割を果たすことがあるのも、気象が歴史に影響を及ぼした事例の妙といえる[2][3]。

本書の最初の4章は、水平スケールが小さいものから大きいものへ、時間スケールが短いものから長いものへという順に並べている。

第1章では、太平洋沿岸の梅雨の時期での風向きの変化、そして秋が深まっていく季節での木枯らしの動向という2つの気象現象を取り上げる。それぞれ季節外れの天気をもたらし、八幡太郎義家を先祖に持つ上野国の由緒正しい武将の運命は翻弄される。

第2章は、戦国大名の中でも領土を広げ強大になった2人の武将が激突する場面で、梅雨の動向が果たした役割を示す。梅雨といっても各年によって降水量の多い少ないがある。決戦の年はどうであったか。そして、その年の梅雨の傾向をもたらした背景にどのようなものがあったと考えられるか。

第3章では、数年単位での気候変動によって日本全土で飢饉が広がった時代を扱う。奈良時代末期の辛酉の年に即位した天皇は、自分自身を革命家として意識した。彼は激しい異常気象の中にあって、強い意志で二大事業を貫徹していった。

第4章は、10世紀に何度も流行した天然痘を取り上げ、気象と疫病の関係と平安社会の惨状を振り返る。天然痘の流行により、藤原氏長者の家柄とはいえ五男であった人物に政権が転がり込んだ。一方で、天皇の寵愛を独占していた聡明な女性の人生が暗転する。

第5章では、江戸時代中期の虫害による飢饉が発生した原因を探る。果たして、元凶はどこからやってきたのか。そして、徳川幕府の中興の祖とされる名君は、再び改革に向けて重い腰を上げねばならなくなる。

第6章は、南岸低気圧による関東平野での降雪がテーマとなる。気象現象というのは、ひとつが原因とは限らない。2つの原因が同時に起きることで、顕著に発生する場合がある。赤穂浪士の討ち入り、桜田門外の変、2・26事件は江戸東京三大大雪事件とよばれるが、気象状況で共通するものはあったのだろうか。

司馬遷の『史記』の列伝には、登場人物の叡知と悲哀が深く刻まれているが、もとより本書は到底及ぶべくもない。気象をめぐるエピソードとして、お楽しみいただければと願っている。人間の生き方は、自己の能力と環境の相互作用によって思いもよらない方向に流れていく。そうした機微を感じていただけたら、これにまさる喜びはない。

本書執筆において、日本気象予報士会の濱野哲二氏に貴重な助言をいただいた。濱野氏は長年、戦国時代から太平洋戦争に至るまでの戦争と気象の関係を研究されている。この場を借りて御礼申し上げたい。また、いつもながらざっぱくな私の手順に対し、丁寧に応対していただいた日経ＢＰ日本経済新聞出版本部編集者の野崎剛さんにも感謝したい。

２０２１年２月

田家　康

著者注

1. 本書において、地名および人名は一般的に用いられている表記によった。
2. 年月日について、和暦を漢数字、グレゴリオ暦を算用数字で示した。
3. 各人物の年齢について、存命当時の慣例に従い数え歳とした。
4. 以下の文献については、国立国会図書館デジタルコレクションに依った。
『日本書紀』『続日本紀』『日本後紀』『続日本後紀』『日本紀略』『類聚国史』『公卿補任』『本朝世紀』『百錬抄』『信長公記』『徳川実紀』『盤錯秘談』『春雪偉談』『阿部正弘事績』『桜田義挙録（雪）』

目次

第2章　空梅雨——長篠の戦いでの信長の勝因は何か

第3章　異常気象──桓武天皇が貫徹した二大事業

第4章　気象と疫病――中宮定子の人生の暗転

第5章　気象と虫害──徳川吉宗を襲った大飢饉

第6章　南岸低気圧──桜田門外に降った春の大雪

第1章　季節外れの天気
――新田義貞の幸運と悲運

「自ら佩《はき》給へる金作《こがねづくり》の太刀を抜《ぬき》て、海中へ投給けり。真に竜神納受《のうじゅ》やしたまひけん、其夜の月の入方に、前々《さきざき》さらに干《ひ》る事も無りける稲村崎、にはかに二十余町干《ひ》あがつて、平沙渺々《へいさびょうびょう》たり」

『太平記』巻十「稲村崎干潟となる事」[1]

「君の先代を亡ぼされしは併せて尊氏卿の忠功なり。義貞関東を落す事は子細なしといへども、天下の諸侍悉《ことごと》く以て彼将に属す。その証拠は、敗軍の武家には元より在京の輩も扈従《こしょう》して遠行せしめ、君の勝軍をば捨て奉る。爰《ここ》を以て徳の無き御事知らしめさるべし」

『梅松論』44「楠木正成のこと」[2]

㈠鎌倉攻防戦

▼元弘三年五月二十一日、稲村ケ崎

鎌倉街道の化粧坂《けわいざか》にいた新田義貞は2万騎余りを率いて片瀬腰越を回り、夜明け前に稲村ケ崎に到着した。極楽寺から鎌倉に突入する部隊の大将である大舘宗氏《おおだてむねうじ》が、攻撃開始早々の十八日に討たれ、十九日にその死が確認されたからだ。宗氏亡き後、稲村ケ崎の突破を自ら指揮するしかないと考えたためであろう。

鎌倉攻略の討幕軍は三隊に分かれていた。まず、建長寺から鶴岡八幡宮のある鎌倉雪ノ下に至る巨福呂坂《こぶくろざか》では堀口貞満《さだみつ》や大嶋守之《もりゆき》が指揮し、幕府軍の北条（赤橋）守時《もりとき》と対峙していた。次に、化粧坂を越えて扇ガ谷《おおぎがやつ》に向かうルートでは、新田本宗家である義貞と舎弟の脇屋義助《よしすけ》、そして山名氏、岩松氏という布陣であり、幕府軍の北条（金沢）貞将《さだゆき》と向かい合っていた。三番目が江ノ島方面から稲村ケ崎を経て海岸線を突破するルートで、大舘宗氏や江田行義《ゆきよし》が担い、幕府軍は北条（大仏《おさらぎ》）貞直《さだなお》らが防衛していた。

第15代執権であった北条（金沢）貞顕を総大将とする幕府軍の抵抗は激しく、巨福呂坂や化粧坂の切通しを抜けることは難しい戦況にあった。突破口として期待されたのが、稲村ケ崎を抜けるルートであった。その現場司令官である大舘宗氏が、戦闘が始まって早々に討死したのだ。義貞は化粧坂突破を義助らに任せ、稲村ケ崎に急行したのは無理からぬことだろう。

大舘宗氏が採用した稲村ケ崎の突破は、海岸線を渡るものであった。現在では稲村ケ崎は相模湾の荒波をかぶり、甲冑をつけた武者が歩いて渡ることなどできはしない。けれども、当時は干潮になれば稲村ケ崎の南に干潟が浮かび上がったようだ。その理由として、地震による地殻変動と海面水位の低下の2つが考えられている。

地震による地殻変動説では、正応六年（1293）四月十二日の鎌倉大地震や元弘元年（1331）七月に紀伊から駿河で発生したとされる地震に注目する。実際、江ノ島は大正十二年（1923）の関東地震で海蝕台が海面に隆起し、藤沢と陸続きになったものだ。もっとも、鎌倉大地震でどのような地殻変動が起きたかは、現在の研究でははっきりしたことはわからない。

次に海面水位の変動を唱える説がある。日本の海面水位は長い時代の中で変動しており、最近の研究では山陰地方の中海をテーマにしたものがある。中海は汽水湖に分類され、塩分濃度は海水の半分程度しかなく、淡水性・海水性それぞれの生物が混在している。河川などの淡水は降水に由来することから、酸素同位体（^{18}O）比率は海水よりも小さい。よって、中海の湖底コアから採取した貝殻に含まれる酸素同位体比率を調べれば、各時代の塩分濃度を推定することが可能だ。

図1-1をみると、およそ7200年前から5500年前にかけての縄文海進の時代、中海南部の岩礁部の塩分濃度はほぼ海水と同様であり、高い海面水位によって中海に日本海からの海水が流れ込んでいたことを示している。その後、5000年前から2000年前にかけて中海の塩分濃度は減少していき汽水湖の性質を持つようになる。そしておよそ1000年前にかけて塩分濃度の上昇をみた後、900年前あたりから塩分濃度は低下し、700年前、すなわち1300年頃に塩分濃度はもっ

図1－1　中海南部の塩分濃度の推移

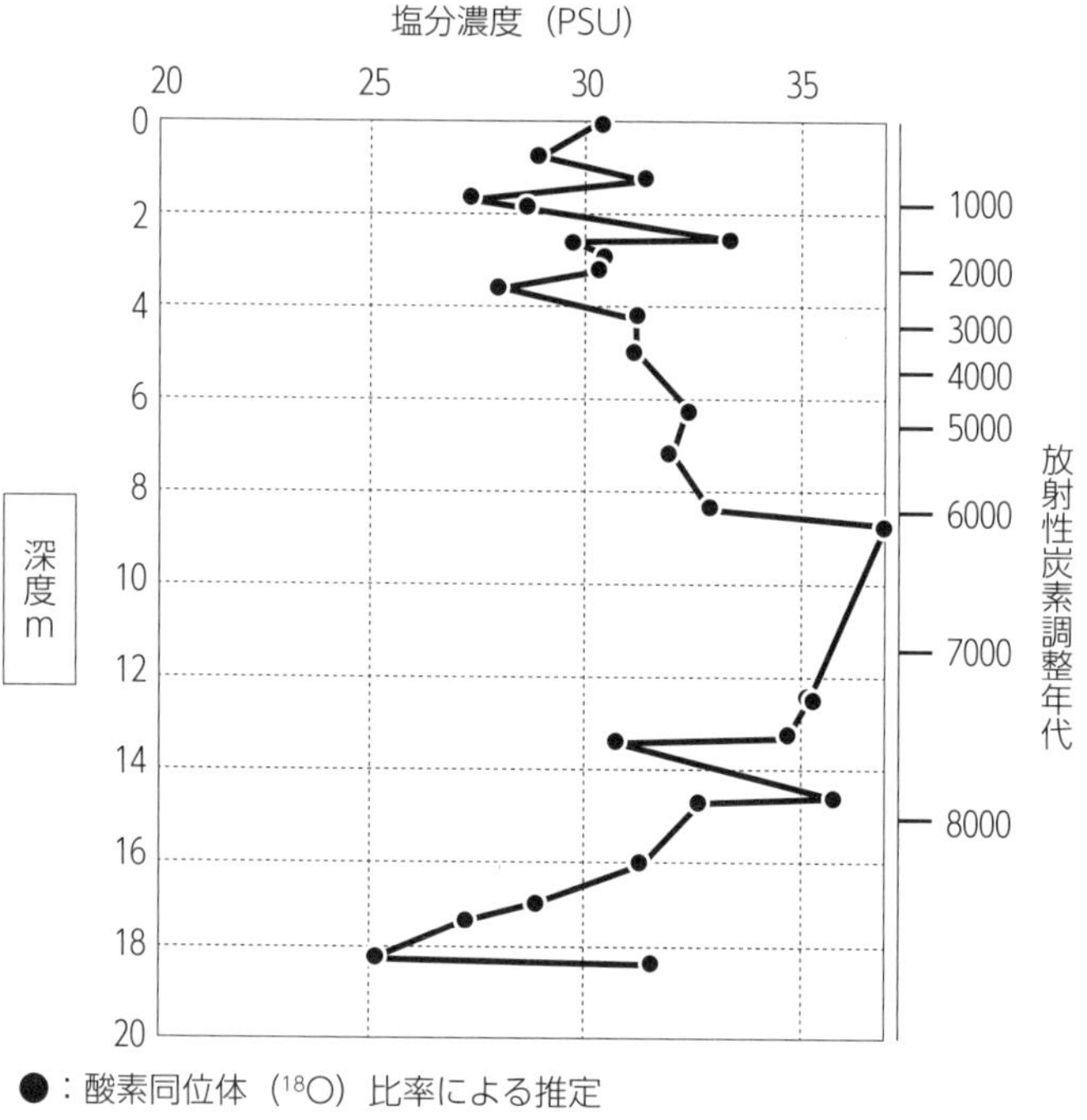

出典：Sampei et al. (2005)：Paleosalinity in a brackish lake during the Holocene based on stable oxygen and carbon isotopes of shell carbonate in Nakaumi Lagoon, southwest Japan. *Paleogeograhy, Paleoclimatology, Paleoecology* **224** p. 363

とも低くなった後、現在の水準に至っている。この時代に、海面水位の低下があったことを示している[3]。

　中海の塩分濃度を用いた古気候分析により、1300年頃に海面水位が低下したことはわかるが、山陰地方と鎌倉では地理的に離れすぎているきらいはあろう。当時の文献記録でも鎌倉付近での海面水位の低下がうかがえるものがある。紀行文『海道記』（作者未詳）は貞応二年（1223）

に京都から鎌倉までの旅を記したもので、この中で神奈川県江ノ島近辺について、「歩ヲオサエテ石ヲミレバ、昔波ノ掘穿《せんくつ》タル磐モ也、海モ久クナレバ干ヤラムトミユ」とあるのだ。海岸線の道端にある岩は波浪により削られたもので、海が干上がって陸地に現れた状況を書き留めている[4]。

地震による地殻変動であれ、長期的な海面水位の変化であれ、稲村ケ崎の水位が現在よりも下がっていたとしたならば、干潮になれば干潟が生まれたことだろう。であれば、討幕軍は干潟を徒歩で渡ることも可能になる。とはいえ、上野国出身の大舘宗氏が気づくならば、地元の幕府軍で対峙する北条貞直らも当然ながら認識していただろう。

一次史料である「東京都大塚文書」などにある軍忠状では、五月十八日に大舘宗氏が一時的に稲村ケ崎を突破したことがわかる。『梅松論』にある「五月十八日未剋」（ユリウス暦で6月30日、グレゴリオ暦で7月8日の午後2時頃）とは、宗氏の軍事行動を指すものではないか。海上保安庁のホームページにある潮汐推算によれば、この日の干潮は正午頃だ（図1-2）。けれども、『梅松論』では幕府軍はその後も極楽寺の支院として当時稲村ケ崎に建っていた霊山寺から抵抗を続けており、この戦闘で宗氏自身が討死している。激戦の末に大舘軍は七里ガ浜側に押し戻されたと考えられる。

『太平記』巻十「稲村崎干潟となる事」では、二十一日夜になって新田義貞が現地に来てみると、夜が明けていく中で、月の光により敵陣の状況が見て取れたと書かれている。幕府軍は稲村ケ崎に城門を築き、海岸線に防御柵を置き、海上には沖合400メートルから500メートルに大船を横向きに並べて船上の櫓から矢を浴びせようと構えていた。義貞は、「これでは陣を退いたのももっともだ」

図1−2　稲村ケ崎突破時の潮汐推計

五月十八日（ユリウス暦6月30日、グレゴリオ暦7月8日）

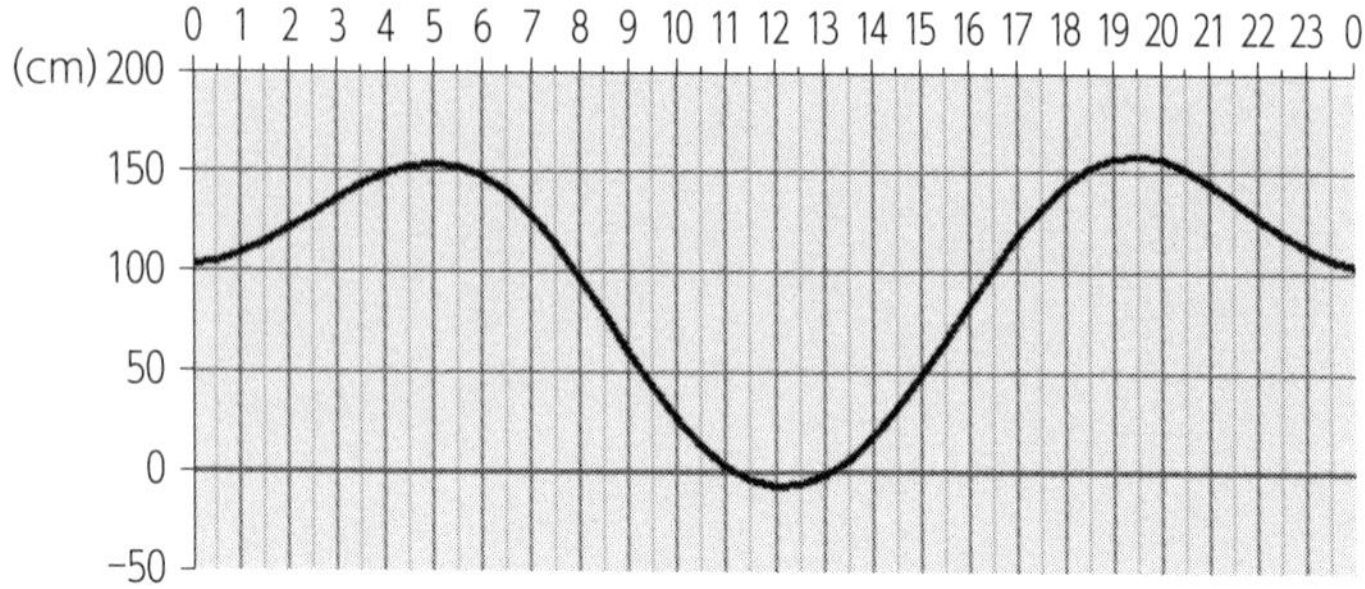

五月二十一日（ユリウス暦7月3日、グレゴリオ暦7月11日）

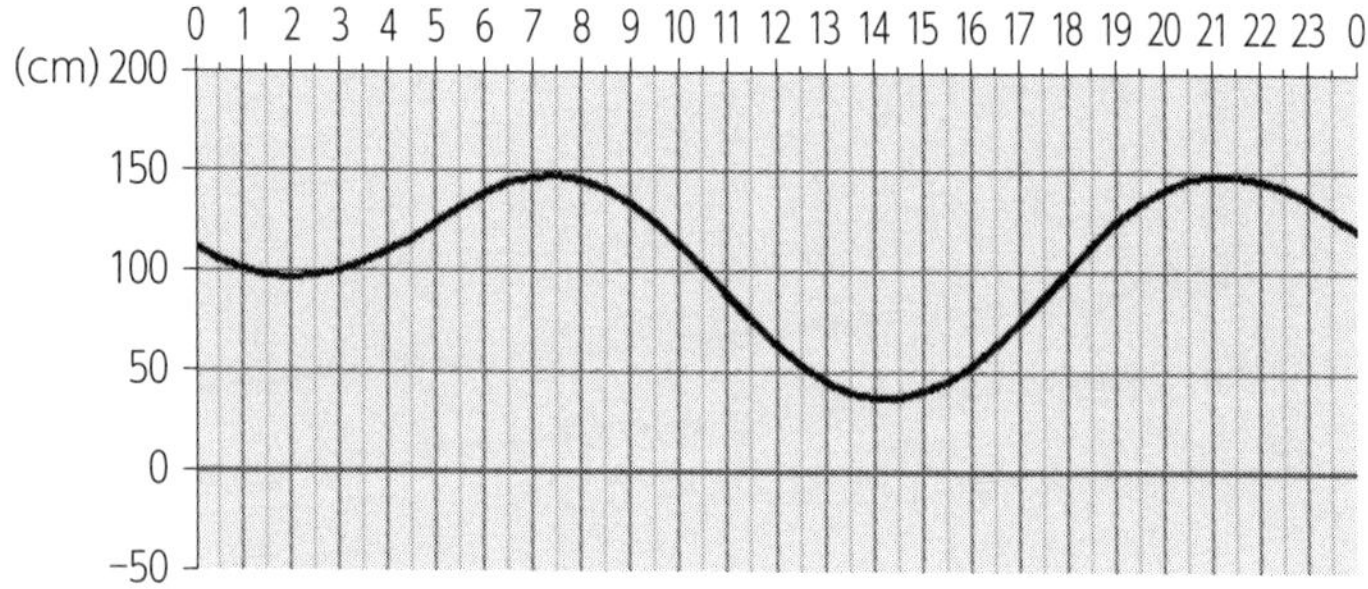

出典：海上保安庁海洋情報部「海の情報局」HP
https://www1.kaiho.mlit.go.jp/KANKYO/TIDE/tide_pred/index.htm

とうなずくしかなかった[5]。

干満の差を狙って海岸線を突破するという宗氏が採った戦術は間違っていない。しかし、霊山寺と海上の大船からの幕府軍の弓矢での攻撃に挟まれて苦戦を強いられる。天からの恩恵はないものか。義貞は必死だった。何となれば、この鎌倉での戦いこそ、新田本宗家の当主たる義貞の真価が問われるものであったからだ。

▼上野国新田荘での挙兵

新田義貞は、『太平記』巻七で由緒正しい武将として登場する。「上野国の住人新田小太郎義貞と申すは、八幡太郎義家十七代の後胤、源家嫡流の名家なり」。元弘三年（1333）二月、義貞は楠木正成を討伐するための鎌倉幕府の軍勢に従軍し、千早城のある金剛山の搦手に陣を敷いていた。陣中にあって義貞は執事の船田義昌をよび、北条高時の行跡から鎌倉幕府の滅亡は近いと見据え、後醍醐天皇への忠義を果たすべく挙兵するに際しては勅命を賜らねばならないと話した。そして、護良《もりよし》親王の令旨を得ることはできないものかと義昌に問うた。義昌は護良親王から北条氏打倒の綸旨を受けるべく行動を起こし、三月十一日に後醍醐天皇から綸旨を受けたとしている。この頃に何らかの綸旨を受け取ったであろうことは、『梅松論』にも記述されており、多くの歴史学者が認めるところだ。

義貞が病を装って上野国に帰国すると、鎌倉幕府は楠木正成追討のために諸国に軍資金として有徳銭の徴収を命じていた。新田荘の世良田郷に金沢出雲介親連《ちかつら》と黒沼彦四郎が訪れ、臨時の「天役」として、「六万貫を五日中に沙汰すべし」と迫ってきた。義貞は2人の無法なやり方に怒り、親連を拘留し、黒沼を斬首した上で世良田郷の里にさらした。

　ここに至って、鎌倉幕府が義貞追討の軍を起こすことは確実になったとし、義貞は先手を打って討幕挙兵を決断した。五月八日卯の刻（午前6時頃）に生品《いくしな》明神に参集した新田一族は、義貞の舎弟たる脇屋義助、大舘宗氏とその3人の子供、堀口貞満、岩松経家《つねいえ》らでこれらが主力とされ、騎馬武者は150騎に満たなかったという。


　これが『太平記』巻七で描かれた挙兵のありようだ。名家の嫡男である新田義貞が自ら後醍醐天皇に忠義を感じ、鎌倉幕府の徴税人を斬ってしまった勢いで討幕に立ち上がった姿が描かれる。しかし、実際はどうであったのだろうか。

　義貞は新田本宗家の嫡流にあるとされるが、その本宗家は義貞の4代前にあたる新田政義が寛元二年（1244）に鎌倉幕府に無許可で自由出家したことで惣領職を奪われてしまい、勢力を失っていた。政義は足利義氏の娘と婚姻し、次の代から政氏・基氏・朝氏と「氏」のつく者が名前が当主となっている。足利本宗家の通字を用いていることから、足利本宗家からの庇護があったことがうかがえる。義貞の名前には足利家の通字の「氏」はないものの、「義」は足利尊氏（当時は高氏）の早世した兄の高義から一文字を用いた偏諱《へんき》とされる[6][7]。

　次に、五月八日に挙兵したメンバーをみると、大舘氏や堀口氏は政義の代に新田本宗家から分家したものだが、彼らに交じって岩松経家が加わっていることが注目される。岩松氏の祖である義純は足利義兼の庶子でありながら母方の新田義重に養育されたことから、新田一族とみなされつつも足利本宗家との関係も深かった。岩松経家が新田義貞の挙兵に加わった理由として、足利尊氏が四月二十二日付の「御内書」で北条高時追討を命じたためとされる。ちなみに、岩松氏は義貞死後に新田本宗家が断絶すると、後継として新田岩松氏を名乗ることになる〔8〕。

義貞の軍勢は順調に鎌倉に向かった。あまりに順調すぎるとさえいえる。東山道を西進し、九日に前橋市付近で利根川を渡河すると、八幡荘（高崎市）で越後国・信濃国・甲斐国の源氏由来の軍勢5000騎と合流した。『太平記』巻九では義貞と義助は「八幡大菩薩の雍護によるものなり」と喜ぶが、既に三国からの出陣の準備が整っていたのだ。

さらに、尊氏の嫡男である4歳の千寿王（義詮）が鎌倉から脱出し、五月十二日に世良田郷で軍を集めたことが一次史料（「鹿島利氏申状写」）で確認されている。千寿王は世良田満義の支援を受け、『太平記』巻十では五月九日に紀五左衛門《きごの》の率いる200騎とともに義貞の軍勢に合流したとあるが、他の史料では確認できない。史料で確認できる限りでは、合流したのは鎌倉攻めの時点のようだ。とはいえ、千寿王の名のもとには多くの軍勢が集まることになり、鎌倉幕府第一の御家人である足利氏の威光は大きかった。

十一日、義貞の軍勢は武蔵国小手指原で桜田貞国を大将とする鎌倉幕府軍と戦闘となった。最初の合戦である。義貞軍は十二日には優勢となり、幕府軍は分倍河原まで退いた。

十五日に始まる武蔵国府中南での分倍河原の戦いでは、鎌倉幕府の軍勢は北条泰家が指揮を執り激戦となった。十五日は義貞の軍勢は劣勢になって軍を退かざるを得ず、義貞自身も「せん方無くおぼしめける」と苦しさをみせた。ところが、その夜に三浦義勝が相模国の松田・河村・土肥・本間・渋谷氏を引き連れて援軍に訪れた。北条氏に近い三浦氏が討幕軍に加わったことで十六日の戦いの結果は決まった。『太平記』巻十では鎌倉幕府の「運命の尽きぬるところのしるしなり」としている。平氏とされる三浦氏の義勝がなぜ義貞を救ったのか。義勝は足利氏直臣の高氏《こう》から養子に入った人物であり、尊氏から指示を受けて参戦したとの説がある。[9]

一方、『梅松論』16「新田義貞の鎌倉攻め」では、下総国の千葉貞胤《さだたね》が「義貞に同心の義有《あり》て」攻めあがったと書かれている。当時、鎌倉街道には3つのルートがあった。上道は義貞が通った道で入間川－府中－関戸－瀬谷－片瀬、中道は世田谷－二子－保土ヶ谷、下道は芝－池上－丸子－弘明寺－大船だ。貞胤は下道を進む過程で、鶴見にて北条貞顕の嫡男貞将と戦闘を行い、相手を敗走させた。

このように、新田義貞が北条高時を打倒すべく鎌倉街道を迅速に南下する姿は鬼神のようだった。上野国新田荘の生品明神で五月八日に決起して以来、小手指原や分倍河原で激しい戦闘があったものの、それぞれ2日で幕府軍を圧倒し、十七日に関戸（多摩市）に逗留した後、十八日には鎌倉幕府の本拠地への攻撃を開始した。確かに討幕軍の主役は義貞であり、主力部隊は新田一族であった。とはいえ、誰しもが足利尊氏の見えざる手を感じるものだ。

尊氏から岩松経家への討幕命令は一次史料で確認できるもので、他の多くの武将も尊氏からの書状によって決起し、義貞に合流していると考えられる。仮説としては、義貞自身の決起も鎌倉幕府の徴税役を捕縛・斬首したためではなく、庇護者である足利本宗家の尊氏からの命令によるものとの見方すらある。書状を受け取っていなかったとしても、義貞は岩松経家以下の参集した将兵が尊氏の指示によるものだということに気づいていたに違いない。となると、鎌倉幕府を討伐する軍勢は表向きこそ新田軍であるが、その陣容は足利・新田軍というべきものだ。何といっても、討幕を開始した時点で尊氏は従五位治部大輔であるのに対し、義貞は無位無官の身であった。東国武士が討幕軍に加わろうとする求心力の違いは歴然としていただろう。

とはいえ、いざ鎌倉攻めとなると状況は異なる。足利尊氏が参謀総長といった役回りで鎌倉を囲むまでのほとんどの兵力を用意したとしても、戦場での采配となると司令官たる新田義貞の担当となる。幕府軍は、小手指原や分倍河原では撤退という道が残されていたが、本拠地の鎌倉では必死の抵抗をみせることは明らかだ。義貞はいかに勝つかという手腕を問われることになる。そして、十八日から二十日までの戦闘経緯はけっして順調とはいえないものであった。

(二)幸運をよぶ気圧配置

▼稲村ケ崎の戦いでの海岸線突破

ここで、鎌倉攻略のハイライトというべき場面が現れる。『太平記』巻十では、新田義貞は五月二十一日夜半、下馬し兜を脱ぎ、海に向かって礼拝すると「内海・外海におられる龍神八部衆よ、潮を万里の外へ遠ざけ、わが三軍のために道を開くように」と竜神に祈り、黄金の太刀を海中に投じた。するど、もともと干潮であったところ、さらに二十町余り干潟が広がったと書かれている。一方、『梅松記』でも、「不思議なことに、稲村崎の浪打ぎは石たかく道ほそくして、軍勢の通路難儀のところに、俄かに潮干して合戦のあいだ干潟にて有りし事、仏心の御加護とぞ人申しける」とある。どちらも、稲村ケ崎の浜辺で干潟が広がり、義貞が率いる軍勢が鎌倉側に突入したことを描いている。

義貞の軍勢の海岸線突破は、実際はいつ行われたのだろうか。前述した通り、『梅松論』では大舘宗氏の軍勢が五月十八日に鎌倉坂ノ下の前浜（由比ガ浜）で在家を焼き払ったというが、この時に宗氏自身は討死しており撤退に追い込まれたようだ。『太平記』にある二十一日夜半を重視すると二十二日未明となる。しかし、北条高時ら一族や重臣は二十二日中に幕府の所在地から菩提寺の葛西ケ谷東勝寺へ退却して自刃しており、果たしてそこまで事態は急転するのか、時間の流れとして納得しにくい。

一次史料である「和田文書」などの軍忠状は、『太平記』や『梅松論』での日時の不正確を修正する上でも重要なものだ。これらによれば、二十一日に討幕軍の主力部隊が稲村ケ崎の海岸を突破しようとすると霊山寺から幕府軍が矢を放ったため、別動隊が霊山寺を攻略したとある。さらに、討幕軍は同日中に前浜まで進出し、幕府軍と戦ったことがわかる。つまり、義貞率いる軍勢の稲村ケ崎突破は二十一日の日中に行われた。図1-2の潮汐推計をみると、この日の干潮は14時頃であり符合する。[10]

それでは、十八日に失敗した海岸線突破が二十一日になぜ成功したのだろうか。『太平記』には、義貞の軍勢が突破後に前浜に向かい、稲瀬川の東西で火を放つと「折から浜風烈し吹きて、車輪のごとくなる炎、黒煙の中に飛散し、十町二十町が外に燃え付き」とある。浜辺では強風が吹いていた。ここにある「浜風」とは海風でなく、浜に吹く風とみるべきだろう。それは『梅松論』での記述から推測できる。巨福呂坂なり化粧坂なりを越えた軍勢が麓に降り下り火を放つと、「いづかたの風もみな、鎌倉へ吹入れ残所なくこそ焼払れけれ」であったとあるのだ。この二隊が北西方向から若宮大路に迫っていたことを考えると。狭隘な切通しを抜けた内陸から海側にある平地に向けて風が強く吹いていたことを示している。

▼梅雨の時期に北から吹く風

この陸から海に向かう強い風が、鎌倉の人家を焼き尽くすだけでなく、義貞の稲村ケ崎突破のキーポイントであったに違いない。『太平記』では海岸線を突破しようとする義貞の軍勢に対し、「横矢射んと構ぬる数千の兵船も、（略）はるかに奥に漂《ただよ》へり」と流されている。その理由を引き潮としているが、実際は陸から海に向かって吹く北からの強い風の影響だったのではなかろうか。

陸から海に向かって風が吹くことで、幕府軍の大船は沖へと流される。また、海岸での波が小さくなるため、義貞の軍勢が海岸線を渡るに際しては、稲村ケ崎の海岸線から離れたところを通ることが可能であったろう。霊山寺との距離を広げ、幕府軍から放たれる矢の影響を抑えることもできたと考えられる。

五月二十一日は現在の暦でいうと7月11日にあたる。まさに梅雨の最中だが、『太平記』巻十の「稲村崎干潟と成る事」の冒頭で、義貞が二十一日に夜が明けていく中で月の光で敵陣を見たとあることから、戦いの当日は晴れていた。この描写はもうひとつの情報となる。巨福呂坂や化粧坂を抜けた討幕軍が鎌倉に向けて火をかけたといっても、雨が降っていては鎮火してしまう。

つまり、当日の気象状況は以下のようなものであった。

① 北からの風が、鎌倉の陸地から海に向かって強く吹いていた。

② 明け方は晴れており、雨は降っていない。

この2つの条件が揃う気象条件は簡単ではない。風は、気圧の高いところから低いところに向かって吹く。気圧差が大きいほど風は強くなるが、天気図上では等圧線が狭い範囲で何本も描かれていれば気圧差が大きく、風も強いことがわかる。ところが、夏季の場合、高気圧でも低気圧でも冬季に比べて等圧線は緩やかで、多くの地域で風は弱い。夏季の天気図で等圧線が密集しているのは台風とその周辺くらいだ。

関東地方で「強風」の定義される平均風速が毎秒10メートル以上の風が吹くのは、冬季がほとんどだ。冬であれば、シベリアからの冬将軍に北からの木枯らし、春分の日以降は南西方向からの春一番で強風となる。これに対して夏季では、広い地域で強風と定義されるほどの強い風が吹くことは、台風以外であまりない。

また、それぞれの地域には卓越風といって、月ごとにもっとも吹きやすい風向というものがある。相模湾の場合、6月から8月にかけては太平洋高気圧の勢力が強まる時期であり、最多風向は南から南南西である。北から風が吹くとなると、太平洋側に低気圧や梅雨前線があるケースだ。低気圧や梅雨前線が太平洋沿岸に近ければ、風速も大きくなる。

ところが、低気圧や前線のある場所では暖かい空気と冷たい空気が接している。両者は簡単には混ざらない。暖かい空気は冷たい空気の上空へと昇り、冷たい空気は暖かい空気の下に潜り込もうとする。暖かい空気に含まれる水蒸気は上昇すると凝結して雲になり、雲の層が厚くなると雨になる。低気圧や前線の近くの天気が曇りがちで、雨の降ることが多いのはこのためだ。

梅雨の時期の鎌倉において、北から強い風が吹き、かつ天気が晴れとは稀な現象なのだ。

果たして、北からの強い風が雨を降らせずに吹く日がどれだけあるか。２０１１年から２０２０年にかけての10年間において、６月から７月の辻堂のアメダスデータで検証したい。①を満たす条件として北東から北西の風で風力３以上に相当する最大風速が毎秒５・５メートル以上、②も考慮して当日の降水量がゼロの日とした。

該当するケースは７日あり、平均すると１年に１日もない（表１‐１）。具体例として、２０１６年６月２日と２０１７年６月３日の天気図を図１‐３に掲げる。前者は最大風速が北北東の風で毎秒６・３メートルで、最大瞬間風速が同じく北北東の風で毎秒11・４メートル、日照時間は11・３時間であった。後者は最大風速が北の風で毎秒６・７メートル、最大瞬間風速が北の風で毎秒12・９メートル、日照時間は13・０時間であった。

２つの天気図をみると、太平洋の低気圧や梅雨前線は日本列島からかなり離れており、この距離であれば鎌倉なり相模湾の沿岸は晴れになる。これだけ離れていれば、北からの風は強くは吹かないものだ。しかし、２０１６年のケースでは日本海の移動性高気圧から時計回りに動く大気の流れが北から風を強める役割を果たしている。また、２０１７年のケースでは秋田沖に低気圧があり、低気圧には反時計回りの動く大気の流れがあることから、低気圧の西側を回る北からの風が強まった。このよ

表1−1　辻堂で北からの風力3以上の風があった日（2011〜2020年）

年月日	風向・風速					日降水量(mm)	日照時間(h)
	最大風速		最大瞬間風速		最多風向		
	風速(m/s)	風向	風速(m/s)	風向			
2011年7月22日	5.8	北北東	10.6	北東	北北東	0	11.6
2011年7月23日	6.6	北	12.7	北	北北東	0	6.4
2016年6月2日	6.3	北北東	11.4	北	北北東	0	11.3
2016年7月31日	6.1	北北東	10.7	北北東	北北東	0	7.9
2017年6月3日	6.7	北	12.9	北	北北東	0	13.0
2017年6月16日	5.5	北	11.1	北	北	0	13.4
2018年6月1日	6.0	北	10.6	北	北北東	0	9.1

出典：気象庁HP

図1−3　梅雨期の相模湾で北からの強風が吹く天気図

2016年6月2日　　　　2017年6月3日

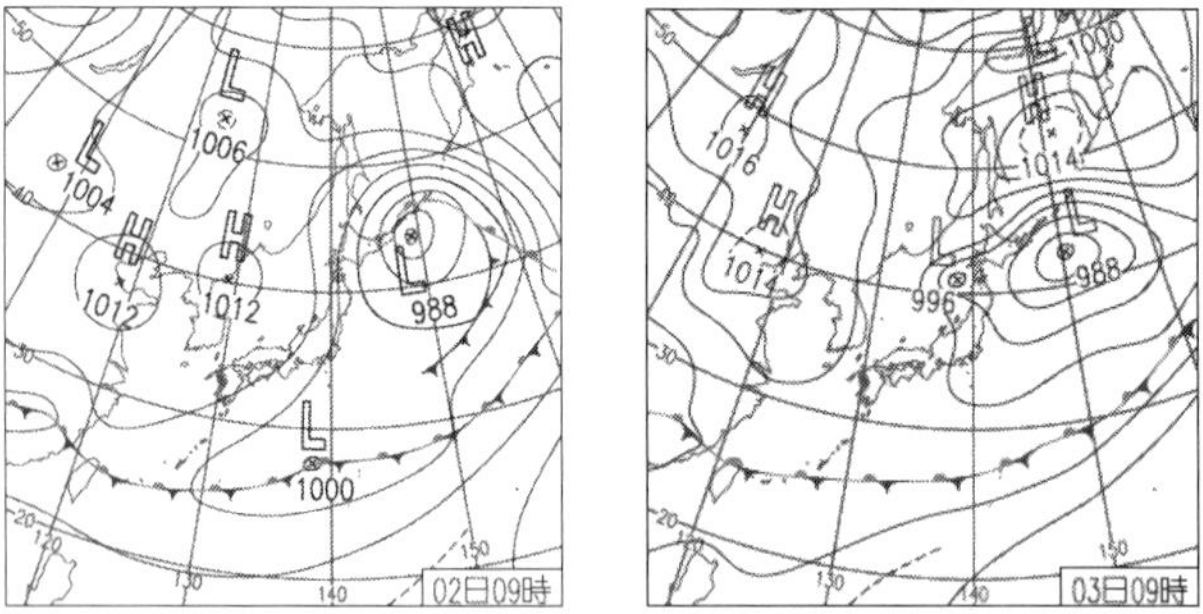

出典：気象庁HP「日々の天気」

うに、2つのケースとも稀な気圧配置により、相模湾沿岸で陸から海に向かう風力3以上に相当する風がもたらされた。元弘三年五月二十一日も、梅雨前線と高気圧や低気圧の微妙な位置関係によって、北からの強い風になったのではないか。

討幕軍も幕府軍も、鎌倉の地形や干満の状況を十分念頭に入れていたに違いない。それゆえ、幕府軍としては、弱点とみられた干潮時の稲村ケ崎に対して霊山寺や沖合に浮かべた大船に守備陣を配置していた。しかし、陸から海に向かって風が強く吹くことは、近年の事例では、梅雨の時期において1年に1日未満の頻度でしか起きない。両軍にとって想定外の自然現象であっただろう。そして、この北からの強い風は、討幕軍にとってかけがえのない援軍になった。奇跡を願う義貞の祈りは、水や海の神である竜神ではなく、気圧配置を司る空の神に通じたのだ。

巨福呂坂では二十一日の時点でまだ合戦が続いていた。しかし、義貞が率いる軍勢が稲村ケ崎を越えて前浜の北条貞直軍を突破したことで、主たる戦場は北条高時が退避した葛西谷へと移った。『太平記』巻十によれば、翌二十二日に得宗の北条高時が自刃し、北条氏一門283名と重臣らを合わせた総勢870名余りも、火をかけた東勝寺で次々と腹を切っていったという。

㈢建武の新政での義貞

▼鎌倉での戦後処理

鎌倉幕府の滅亡を果たした後、新田義貞は2カ月ほど鎌倉に留まった。幕府追討に参画した武士は、軍忠状への「評判」を義貞に求めた。軍忠状とは、戦闘への参加や戦果への武勲を明らかにした証拠書類であり、武士が自ら書き、これを総司令官などが「一見了」「了承」などと「評判」する。この証拠書類が恩賞の根拠になるため、軍忠状を得なければ武士としては戦闘に参加した意味がなくなってしまう。現存する鎌倉攻略の際の軍忠状には、義貞がすべて了承の「評判」を記し、花押を書いている。その意味では、武士からすれば、義貞こそが自らの軍功を証明する大将であった。

しかし、義貞が鎌倉幕府に代わって関東の政治を司ることはなかった。足利尊氏の嫡男である千寿王が鎌倉の御所におり、尊氏は京都から細川和氏《かずうじ》・頼春《よりはる》・師氏《もろうじ》の三兄弟を下向させ、千寿王を支援するよう指示した。義貞は政治的な関わりをまったくみせていない。義貞に政治のセンスがないというよりも、彼自身のこれまでの行動自体が尊氏の指示によると暗示させる。

『梅松論』17「鎌倉幕府の滅亡」には、「鎌倉、連日空騒ぎ」と尊氏派と義貞派の間での物騒な状況を描き、細川三兄弟が義貞を問い詰めたのに対し、義貞は野心を持っていないとの起請文を差し出したとある。もっとも、その他の史料で尊氏派と義貞派の間での軋轢を確認することはできない。単に各地から集まった武士同士が狭い鎌倉でいざこざを起こしていたもの、という見方もある。

施政権が尊氏の掌中にあるならば、義貞としては鎌倉で何もやることがなくなったのであろう。義貞は自らの手腕で勝ち取った鎌倉を後にし、一族を引き連れて上洛した。その時期は八月初旬と考えられている[11]。

▼尊氏との対立の始まり

八月五日に京都で叙勲と除目《じもく》があった。新田義貞は従四位上に叙され、上野国・越後・播磨の国司になった。対して、足利尊氏は従三位に昇叙し、武蔵・常陸・下総の国司となるだけでなく、後醍醐天皇（尊治《たかはる》）の諱《いみな》の「尊」を与えられ、「高氏」から「尊氏」へと改名した。後醍醐天皇の諱から取った名を名乗るだけでなく、従三位は公卿として扱われるゆえ、建武政権での尊氏の存在感は圧倒的であった。とはいえ、義貞も尊氏に次ぐ地位を与えられ、名実ともに東国武士のナンバー2となった。尊氏の六波羅探題討伐と義貞の鎌倉幕府攻略を正当に評価した結果である。

ところがこの頃から、北関東での出自において緩やかな主従関係であった尊氏と義貞が対立関係になっていく。それは尊氏を牽制するための後醍醐天皇が描いた図式であったのかもしれない。

翌建武二年（1335）七月、北条高時の遺児である時行《ときゆき》が鎌倉幕府の御内人の支援を受けて信濃で挙兵した。武蔵へと南下し、七月二十日頃に女影原（埼玉県日高市）において渋川氏や岩松氏と戦闘となり、前年に義貞とともに上野国で決起した岩松経家は戦死した。そして、尊氏の舎弟で鎌倉から出陣した足利直義を井出の沢（東京都町田市）で破った。直義は三河まで撤退し、時行は鎌倉を支配した。

尊氏は出陣に際して後醍醐天皇に征夷大将軍の称号を求めたが許されず、八月二日に勅許を得ずに東国に向かった。天皇は致し方なく、征東将軍として追認した。軍事行動になると尊氏の采配は格別だ。尊氏率いる征東軍は、『太平記』の記述で17回、『梅松論』の記述で7回の戦闘により時行軍を圧倒し、八月十九日に鎌倉を奪還した。中先代《なかせんだい》の乱とよばれる事件だ。

戦闘終結後、後醍醐天皇の帰京命令にもかかわらず、尊氏は鎌倉に留まった。『梅松論』22「鎌倉占拠」では、直義の言葉としてその理由を掲げている。京都にいると公家や義貞の陰謀がひしめいており、今まで生きていたのも幸運によるものだったとし、若宮大路の鎌倉将軍の跡地に御所を造ったとある。

鎌倉において、尊氏・直義兄弟は足利氏による政権を構想し、もっとも危険な相手を義貞だと定めた。一次史料では、岩松氏の跡目に恩賞を与えており、主従関係を新田氏から足利氏へと変更させている。また、直義は十一月二日に下野国那須資宿に義貞誅伐を命じた。『太平記』によれば、十月下旬から十一月上旬の時期、尊氏は細川和氏を使者として後醍醐天皇に奏上を提出し、義貞を激しく非難したとある。これを伝え聞いた義貞も反論する奏上を差し出したとする[12]。

後醍醐天皇は義貞を選んだ。『太平記』によれば十一月八日、尊良《たかよし》親王を上将軍、義貞を将軍として尊氏追討を命じた。治承四年（1180）に源頼朝討伐のために出陣する平維盛は鈴を賜ったが、鈴では不吉だとして、平将門を鎮圧するために関東に向かった藤原忠文の例を踏襲し、義貞には節刀が賜わられた。義貞はまず二条高倉にあった尊氏の邸に執事の船田義昌を差し向け、鬨の声を三度上げさせ、鏑矢《かぶらや》3本を放ち、中門の柱を切り落とした。かくして、尊氏と義貞の間で雌雄を決する戦いが始まった。

▼尊氏を倒せない義貞

後醍醐天皇から朝敵とされたことで足利尊氏は出家すると言って元結を切り、鎌倉の御所に引きこもった。新田義貞の軍勢は東に進み、三河国矢作川において１万９０００騎で高師泰《もろやす》の迎撃軍３万６０００騎を十一月二十五日からの戦いで打ち破った。足利直義は軍勢を箱根の西麓まで退却させ、彼自身は鎌倉に急ぎ戻った。『太平記』巻十四には、直義が「足利一門が遁世降参したとしても、探して誅すべし」との偽文書を見せて尊氏に翻意を促したとある。この文書を信じた尊氏は、「義貞と死をともにすべし」と決心し、一束切《いっそくぎり》というざんばら髪で出陣した。

新田軍は伊豆国の国府のある現在の三島市まで東進し、十二月十二日に軍を二手に分けて箱根の突破を図った。迂回路の竹ノ下を通る一隊は尊良親王を大将とし、副将に脇屋義助を充てた。そして、箱根路を進む本隊は義貞自身を大将とし一族二十余人を指揮官とする大軍で攻めた。一方、鎌倉から持てる兵力のほとんどを動員した足利軍は箱根路を直義が固め、竹ノ下には尊氏が向かった。

箱根路の戦いでは、兵力差で優る義貞が直義を退却させた。箱根を突破すればいよいよ鎌倉に攻め入るばかりであった。ところが、竹ノ下において尊氏は義助らを圧倒し、対する新田軍は裏切りすら出て兵が四散してしまった。多くは伊豆国国府を支えることなく、東海道を西へと逃走していった。船田義昌が竹ノ下の戦況を伝えると、義貞は「少し引き退いて、落ち行く勢を留めてこそ合戦もせめ」と退却を決断した。

箱根・竹ノ下での戦いが武将としての義貞と尊氏の力量の違いを明瞭に示すものであった。義貞はこの後の戦いにおいて負け続けたわけではなく、北畠顕家らとともに豊島河原の戦いで勝利する局面もあったが、尊氏を倒すことはできなかった。足利軍が九州に落ちた時点で、楠木正成は後醍醐天皇に次のように進言したと『梅松論』44「楠木正成のこと」に書かれている。

「義貞、関東を落す事は子細なしといへども、天下の諸侍、悉《ことごとく》もて彼将（尊氏）に属す。其証拠は、敗軍の武家には、元より在京之輩も扈従《こじゅう》して遠行せしめ、君の勝軍をば捨奉《たてまつる》。爰《ここ》を以て（義貞が）徳の無き御事知らしめさるべし」

そして、義貞を誅伐して尊氏を召し抱えるべきというのだった。後醍醐天皇はこの進言を容れず、正成は九州から京都に上ってくる尊氏との湊川の戦いで戦死することになる。

足利寄りとされる『梅松論』は義貞に対して辛口だが、義貞は頼りにならないとの雰囲気が京都周辺でもあったのだろう。『太平記』巻十六には義貞の心情を語った箇所がある。「去年の関東の合戦（竹ノ下）に打ち負けて上洛せし時、路にてなほ支へざりし事、人口の嘲《あざけ》り遁《のが》るる時をえず、それこそあらめ、今度西国へ下されて、数個所の城郭一つも落としえずして、結句《あげく》敵の大勢なるを聞きて、一支《ひと》へもせず京都まで遠引きしたらんは、あまりに不甲斐無く存する」。

湊川での戦いでは、正成戦死後に尊氏と直義は合流した。新田軍は足利軍との間で激戦となった。義貞は善戦したものの、兵力差はいかんともしがたく京都へと敗走した。

㈣北国下向で遭遇した大雪

▼義貞を見限る後醍醐天皇

湊川での新田・楠木連合軍の敗戦を聞き、後醍醐天皇は京都を逃れ比叡山の山門に移った。足利尊氏は光厳上皇を奉じて京都に入り、弟の直義に比叡山攻撃を命じた。両軍は5カ月近く対峙したが、新田義貞はもはや最高司令官という立場ではなくなった。鞍馬寺宗徒は義貞の指揮下に入ることを嫌ったようで、後醍醐天皇は彼らに対して「新中納言（堀川光継）の手に属して軍忠を致すべし」との綸旨を出すありさまであった[13]。

後醍醐天皇の陣営に厭戦気分が広がったのだろう。後醍醐天皇は、尊氏の要請を受け入れる形で京都に戻る決断をした。後醍醐天皇は義貞を見限ったのだった。

義貞はこの話を聞くと、「そんなことがあるはずがない。聞き違いだろう」と騒ぎ立てしなかった。ところが、重臣の堀口貞満は重大事と捉え、後醍醐天皇に確認すべく参内した。『太平記』巻十七に貞満が怒りを露わにして後醍醐天皇に詰め寄る場面が描かれている。上野国生品明神での出陣以来、一族の戦死者は132人、郎従の戦死者は8000余人にのぼる。京都での戦いで尊氏が優勢であるのは自分たちの戦のやり方が拙いためではなく、天皇の徳が欠けているからだ。このまま京都へ帰還するというのなら、新田一族五十余人の首をまず刎ねろと訴えた。道理にかなった貞満の発言に、後醍醐天皇の気持ちも揺らいだとある。

その後、義貞は息子の義顕と舎弟の脇屋義助とともに3000余騎を引き連れて、後醍醐天皇と談判することとなった。後醍醐天皇は苦し紛れの釈明を行った。天運が来ず兵に疲労がたまっていることから、尊氏といったん和睦し、しばらく好機を待つという構想だと伝える。義貞には内々に知らせるべき内容だが、噂話が広がるのは避けたかったので、今になって直接話をすることになってしまった。義貞は越前国でしばらく兵を養うのがいい。天皇が京都に戻るのに対して義貞が越前国に向かうと朝敵となってしまうので、恒良《つねよし》親王を天皇位に即《つ》かせてもいいから、彼を奉じる形で北国へ下向すればよい。『太平記』での後醍醐天皇の発言は、義貞との妥協案であった。義貞としては、越前国から越後を経て新田氏の拠点である上野国と連携する構想を描いたのだろう。

▼「北国下向勢凍え死の事」

延元元年(1336)十月十日、新田義貞は恒良親王の行啓に随行するという形で北国へ向かった。恒良親王・尊良《たかよし》親王と同行するのは、義貞と嫡男の義顕、舎弟の脇屋義助、堀口貞満、一井義時《いちいのよしとき》といった新田氏一門で約7000騎であった。この中に上野国出陣以来の重臣で、鎌倉攻略では稲村ケ崎突破の重要な拠点にいた大舘氏明(大舘宗氏の子)や江田行義の名前はない。この日、彼らは後醍醐天皇に随行し京都に戻る陣にいた。新田氏族内で分裂が起きていたのだ。

親王2人と義貞の一行は翌十一日に琵琶湖北辺の塩津・海津に着き、山中を越えて日本海側に向かった。『太平記』では旧北国街道に敵が布陣していたとの情報を得たため木目峠を越えたとあるのに対し、『梅松論』では旧北国街道を進んで荒芽《あらち》(愛発山)の中山を通ったとしており、経路は定かでない。そして、塩津・海津から敦賀に向かう峠越えの山中にあって、大変な事態に遭遇してしまうのだ。

『太平記』巻十七には「北国下向《げこう》勢《ぜい》凍《こご》え死の事」と題し、義貞の軍勢が大雪に遭遇したことが詳述され、『梅松論』48「和睦」では、延宝本で「大雪にあひて、軍勢ども寒の為に死す」、天理本で「寒死スル者多カリ」、寛正本で「寒ニ堪ス多ソ死ル也」とある。『梅松論』では下向した日付が「十一月二十二日」とあるが、『太平記』にある「十月十日」は当時の諸文書で確認されており、『梅松論』の日付が誤っているというのが定説だ。『太平記』での山中での大雪の状況をみてみたい。

「十月の始めより、高き峰々に雪降りて、麓《ふもと》の時雨《しぐれ》止む時なし。今年は例年よりも陰寒《いんかん》早くして、風交りに降る山路の雪甲冑にそそぎ、鎧の袖を翻《ひるがえ》して面を打つこと烈《はげ》しかりければ、士卒寒谷《かんこく》に道を失ひ、暮山《ぼさん》に宿無くして、木の下、岩の陰にしじまりふす。たまたま火を求めえたる人は、弓矢を折り焼いて薪《たきぎ》とし、いまだ友を離れざる者は、互ひに抱き付きて身を暖む。元より薄衣《はくえ》なる人、飼ふ事無かりし馬ども、ここやかしこに凍え死んで、行く人道を去りあへず、かの叫喚・大叫喚の声耳に満ちて、紅蓮《ぐれん》・大紅蓮の苦しみ眼にさへぎる。今だにかかり、後の世を思ひやるこそ悲しけれ」

紅蓮とは仏教用語にある8つの地獄のひとつで、極寒に悶死するというものだ。かくして後陣の300騎は遅れてしまい、間違った道を下って敵軍と遭遇してしまう。馬は雪に凍えて動かず、兵は凍傷で弓を引けず、刀さえ抜けずに敗退した。千葉貞胤率いる500騎も雪中に方向を失い、敵陣に囲まれて貞胤は無念の降伏をした。

▼琵琶湖周辺の山中で秋に大雪は降るか

延元元年十月十日は、グレゴリオ暦で1336年11月14日にあたる。11月中旬において、『太平記』に描かれるような大雪が琵琶湖北側の山中で降るものだろうか。「麓の時雨止む時なし。今年は例年よりも陰寒早くして、風交りに降る山路の雪」とあるように、低地での降雨が山中では雪になったこと、またこの年は通常の年と比較して寒さが早かったようだ。ここでは、11月の大雪についての近年の事例、1336年を含む当時の秋の気温、そして琵琶湖周辺で大雪が降るメカニズムについて、ひとつひとつ確認していきたい。

まず、福井県ならびに滋賀県での11月の降雪について、気象庁のデータベースで確認したい。とはいえ、観測地点のほとんどはアメダスなどによるもので古くても1970年代以降のデータしかない。それより以前の降雪データが残っているのは、福井県の福井市と敦賀市で1940年以降、滋賀県彦根市で1953年以降となる。

3つの地点で11月に1日1ミリを超える降雪の事例は、以下の5つだ。

① 1942年11月28日：敦賀市で2ミリ
② 1948年11月29日：福井市で4ミリ、（敦賀市で1ミリ）
③ 1950年11月15日：福井市で7ミリ、敦賀市で3ミリ
④ 1970年11月30日：福井市で8ミリ、敦賀市で20ミリ、彦根市で6ミリ
⑤ 2008年11月20日：福井市で4ミリ、敦賀市で9ミリ、（彦根市では降雪なし）

１９４０年から２０１９年までの約60年間で5例しかなく、しかも義貞が北国下向で遭遇した大雪との類似例となるとせいぜい③、④、⑤の3例しかない。今日の気候でいえば、11月にそれなりの降雪となる確率は20年に1度となる。20年に1度しかない降雪日に義貞の北国下向での山中越えが重なってしまったのは、義貞にとって不運この上ないように思えてくる。

▼京都でのカエデの紅葉日から当時の気候を探る

福井市、敦賀市、彦根市での観測データをみる限り、現在の気候からすれば11月中旬の琵琶湖北側の峠越えで大雪に遭遇することは極めて稀であることはわかった。しかし、延元元年（１３３６）を含め14世紀の気候そのものが現在と同じであったとは限らない。当時の近畿圏の気候、とりわけ秋から冬にかけての状況を知る手立てはないものか。

気象観測の中には、生物季節観測というジャンルがある。気象庁が実施している植物観測では桜の開花が代表例だが、その他にあじさいの開花、いちょうの黄葉・落葉、うめの開花、かえでの紅葉・落葉など6種目9現象で続けられている。[14]

この生物季節観測を古気候で用いることはできないか。大阪府立大学の青野靖之准教授は、古い文献に記載された京都におけるヤマザクラの満開日の記録を拾い上げ、１２００年以上におよぶ京都の3月の平均気温を推定した。画期的な論文であり、引用数は２００を超え、イギリスの経済誌《エコノミスト》でも紹介された（第4章）。

青野准教授はヤマザクラだけでなく、カエデの紅葉日についての記録も拾い上げている。ヤマザクラで春の気温を推定することに成功したため、カエデの紅葉日から紅葉前の京都での10月の平均気温の推定が可能となるという着想に立つものだ。論文では比較的データ数の多い1400年以降を中心に扱っているが、ここでは基礎資料となる実際の紅葉日に注目したい[15]。

表1-2は京都における各世紀での紅葉日の平均を示したものだ。10世紀から12世紀までは標本数が少なく何ともいえない。13世紀の平均紅葉日は11月18日と早くなるが、新田義貞が生きた14世紀の平均紅葉日は遅く、21世紀の今日と2日しか変わらない。13世紀は寛喜の飢饉（1230〜1232）、正嘉の飢饉（1256〜1258）と冷害を原因とする深刻な飢饉があったのに対し、14世紀では冷害の事例は少なくなり、温暖な気候を反映しているのかもしれない。15世紀から19世紀にかけて平均紅葉日は早くなっていくが、これは太陽活動の低迷と巨大火山噴火の頻発に由来する小氷期の気候によるものだろう。20世紀に入り、小氷期の終わりとともに紅葉日は遅くなった。21世紀の遅い紅葉日について、人的に排出される温室効果ガスによる地球温暖化とともに、都市部の排熱などによるヒートアイランド現象が影響している要因もあろう。

本題である義貞が北国下向した1336年の秋の気温についてだが、これも表1-2にあるように、同年の紅葉日を記録したものがないためはっきりしたことはわからない。とはいえ、前の年の1335年に11月9日と非常に早い紅葉があったとされ、『太平記』巻十七の記述では、「今年は例年よりも陰寒早くして」とあることから、寒さの訪れが早かったとの推測も成り立つ。

表1－2　京都におけるカエデの紅葉日

(1) 各世紀別

	標本数	平均日
10世紀	7	11月9日
11世紀	10	11月12日
12世紀	8	11月26日
13世紀	21	11月18日
14世紀	28	11月23日
15世紀	67	11月19日
16世紀	31	11月16日
17世紀	52	11月16日
18世紀	87	11月16日
19世紀	81	11月14日
20世紀	99	11月17日
21世紀	13	11月25日

出典：青野靖之准教授のHP
http://atmenv.envi.osakafu-u.ac.jp/aono/auttinphe/

(2) 1319年～1350年

西暦	和暦	紅葉日	出典
1319	元応　元		
1320	二	12月8日	花園天皇宸記
1321	元亨　元		
1322	二		
1323	三	11月28日	花園天皇宸記
1324	正中　元		
1325	二	11月27日	花園天皇宸記
1326	嘉暦　元		
1327	二		
1328	三		
1329	元徳　元		
1330	二		
1331	元弘　元		
1332	二		
1333	三		
1334	建武　元		
1335	二	11月9日	続史愚抄
1336	延元　元		
1337	二		
1338	三		
1339	四		
1340	興国　元		
1341	二		
1342	三		
1343	四	11月18日	八坂神社記録
1344	五		
1345	六		
1346	正平 元 1	11月21日	園太暦
1347	二	12月7日	師守記
1348	三		
1349	四		
1350	五		

▼日本海寒帯気団収束帯：北陸で大雪となるメカニズム

それでは、新田義貞の北国下向での琵琶湖北側の山中で大雪を降らせた気象のメカニズムはどういったものであろうか。これは日本海寒帯気団収束帯（JPCZ：Japan sea Polar air mass Convergence Zone）で間違いあるまい。日本海寒帯気団収束帯によって大雪がもたらされる地域として、福井県、滋賀県北部、兵庫県北部、京都府北部、鳥取県、島根県、山口県北部が知られている。

冬になるとシベリア寒気団が何度も日本列島を襲ってくるが、日本列島に到来する経路は2つある。ひとつは、沿海州や北朝鮮東部を通る寒気が北東方向から直線的に日本海上空を経て日本列島に向かうものだ。もともとシベリアからの寒気は非常に低温で乾燥しているのだが、日本海を通過するとき、日本海から水蒸気の供給を受けて湿度の大きい気団へと変質する。寒気の吹き出しとよばれる現象だ。気象衛星からの画像をみると、日本海に何十本もの筋状の雪雲が生まれ、秋田県や新潟県に向かうにつれて次第に大きくなる。湿り気をたっぷり含んだ気団が日本列島の真ん中にある山岳地帯に沿って上昇すると、水蒸気は凝結し雪となって地上に降ってくる。

もうひとつは北朝鮮西部を通るもので、シベリアからの寒気は高度が低いため、中国との国境沿いの白頭山などの高い山岳の上空を越えることはできない。このため寒気は山岳の東西を迂回するように二手に分かれる。北朝鮮山岳の東側では時計回り、西側では反時計回りの2つの流れは日本海の真ん中から日本列島寄りで再び合流（収束）する。この合流した場所で雪雲が形成される。雪雲は日本列島に近づくにつれて大きくなる。これが日本海寒帯気団収束帯だ（図1-4）。

今世紀に入ってからの石川県以西での気象災害に至った豪雪は、日本海寒帯気団収束帯によるものだ。２００５年12月中旬から２００６年１月中旬にかけての平成十八年豪雪では、北陸地方を中心に１０６地点で12月の最深積雪を更新した。２０１０年12月末から２０１１年２月にかけての平成二十三年豪雪では山陰地方で積雪が比較的多く、米子市などで１月の最深積雪を更新した。２０１８年２月３日から８日にかけての平成三十年豪雪では、石川県と福井県の積雪が顕著であった。福井市では６日間の最深積雪が１４７センチと１９８１年の１９６センチ以来の記録的なものであり、幹線道路では多数の車両が立ち往生し、道路の通行止め、鉄道の運休などの交通障害が起きている。

図1−4　日本海寒帯気団収束帯

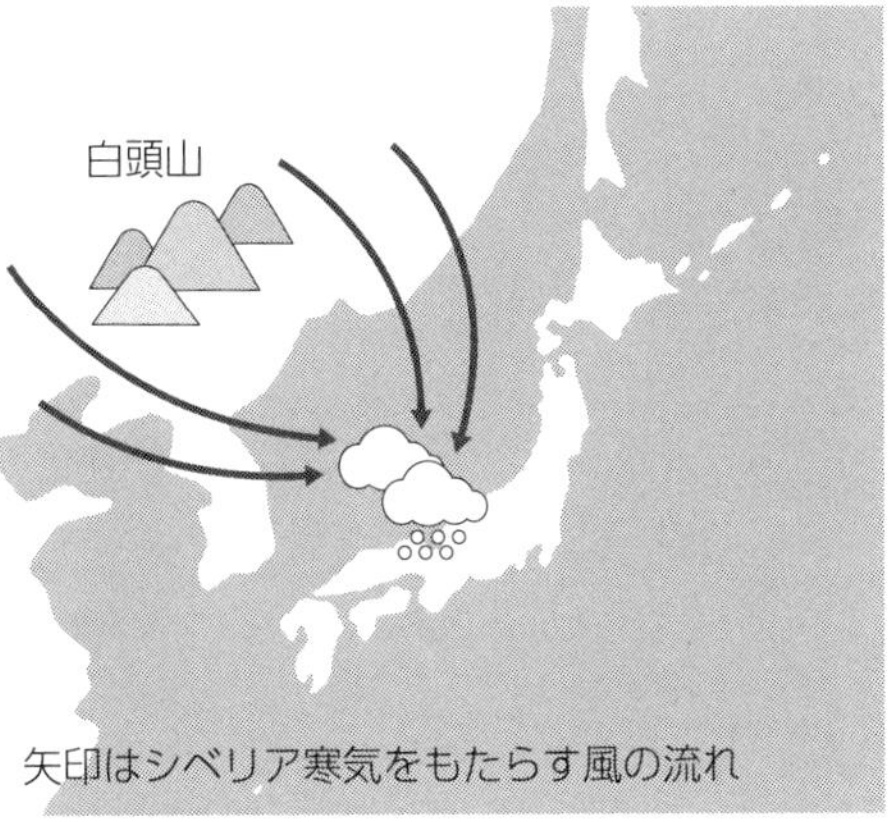
白頭山
矢印はシベリア寒気をもたらす風の流れ

出典：気象庁HP

11月の降雪事例⑤にあたる２００８年11月20日の敦賀市での９ミリの降雪でも、２日前の18日に近畿地方で木枯らし１号が吹き、19日から西高東低の冬型気圧配置となってシベリアの寒気が本州日本海側に流入した。その経路は、沿海州から南東に向かって北日本の日本海側へと一直線に吹き込むものと、北朝鮮山岳を西側から回って朝鮮半島東の沿岸を経て、北陸地方から山陰地方にかけて到来するものの２つがあった。北陸地方から近畿地方の日本海側の上空は風が集まる場所になっており、湿度が高いことが天気図で解析されている。まさに、冬の始まりの時期での日本海寒帯気団収束帯の発生であり、新田義貞の北国下向での大雪もこのような天候によるものであったと考えられる。

(五)越前国藤島での戦死

▼北国経営プランの挫折

新田義貞は坂本から北国に下向するにあたって、当初から敦賀を目指したのであろうか。越前国を支配するなら、まずもって越前国府を押さえるべきだろう。『太平記』巻十七の記述にある義貞一行の木目峠越えとは、越前国府に向かっていたと考えれば納得できる経路だ。後続部隊が大雪で散り散りになったため、やむなく越前国府攻略を断念したのかもしれない。敦賀到着の翌日十四日に、嫡男の義顕と脇屋義助は3000騎で北に向かい杣山《そまやま》城を落としており、義貞の狙いは敦賀ではなく越前国府にあったのは明らかだ。[16]

義貞の北国下向に対して、尊氏の行動は迅速だった。年が明けた延元二年(1337)一月になると、もっとも頼りになる執事高師直《もろなお》の兄弟高師泰《もろやす》に敦賀の金ケ崎城攻略を命じた。二月に足利直義は「敦賀凶徒誅伐事」として兵を集めている。そして、三月二日から高師泰の攻略は本格化し、金ケ崎城は六日に陥落した。義顕を含めて新田一族10名が戦死し、尊良親王も自害した。恒良親王は身柄を足利方に確保され、京都に護送された。尊氏は義貞も金ケ崎城で討ち取ったとみたようだが、義貞は城から出ていたため杣山城に逃げ込んだ。

尊氏としては恒良親皇を確保したことで、もはや義貞は強敵ではなくなった。綸旨を受けることができなくなれば、単なる逆賊にすぎない。指導者や司令官の意思は人事に表れる。金ケ崎城攻略以降、尊氏は高師泰のような腹心の家臣を義貞に向けて差し向けることはなくなる。義貞など地元の将兵に任せればいいと捨て置かれたようなものだ。

義貞は苦しい立場に立たされた。北国下向時に描いた二人の親王を奉じて越前国を押さえ、ひいては越後国に通じ関東の新田家所領まで連携するという政治構想を失ってしまったのだ。以後、義貞は杣山城を拠点として行動し、越前国守護の斯波《しば》高経《たかつね》と小さな土地をめぐる戦闘に明け暮れた。延元三年（１３３８）二月にようやく越前国府を落としたものの、越前国の北半分を支配するに留まった。

▼義貞の最期

延元三年閏七月二日、新田義貞は藤島の灯明寺畷で戦死した。斯波方の立て籠もる藤島城を50騎で攻撃していたところ、深田（泥田）を走り回って落馬し、相手の流れ矢が当たっての落命であった。義貞の生年は定かでないが、およそ37年の生涯とされる。義貞の戦死を目撃した新田軍の兵は自害、あるいは矢に射られての全滅であった。『太平記』巻二十には「敵のひとりをも取りえず、犬死してこそ臥しけれ」と書かれている。

義貞を討ち取った氏家中務丞《なかつかさのじょう》は検分のため、その身柄を斯波高経のもとに持ち込んだ。高経は、義貞に似た顔つきで左の眉の上の矢の傷も一致しているとし、さらに鬼切・鬼丸という源氏重代の太刀を所持していることから義貞本人と特定した。義貞の首は京都に送られ、獄門となった。

『太平記』巻二十には、義貞の戦死について次のように語られている。「この人は君（後醍醐天皇）の股肱《ここう》として、武将の位に備はりしかば、身を慎み命を全うしてこそ、大義の功を致さるべかりしに、みづからさしもなき戦場に赴いて、匹夫《ひっぷ》の鏃《やじり》に命を止めし事、運のきわめとは言ひながら、うたてかりし（情けない）事どもなり」。

▼『史記』「南越列伝」：禍福はあざなえる縄のごとし

司馬遷の『史記』「南越列伝」には、秦王朝が崩壊する中で生まれた南越国の5代93年の歴史が語られている。南越とは今のベトナムにあたる地域だ。河北省出身であった趙陀《ちょうだ》は南海郡（広東州広州市）で秦から派遣された県令であった。重い病を患っていた南海郡の尉《い》（隊長）であった任囂《じんごう》は趙陀を呼び寄せた。「秦を打倒しようと項羽、劉邦、陳勝、呉広が反乱を起こしている」という情報を伝え、自分も病気でなかったら蜂起するものをと語った。この情報を受けて趙陀は兵を集め、上級官吏を処刑し南越国を立てて、武王と名乗った。任囂がいなければ、そして病に倒れていなかったなら、趙陀が南越国を興すことはなかっただろう。

秦を倒した後の高祖は南越国を大目にみたものの、呂后は敵視し軍隊を派遣して征服しようとした。ところが暑気と湿気のひどさで遠征軍内に疫病が発生し、呂后が死去したため1年余りで軍は撤退し、南越国はからくも生き残った。以後も、南越国の統治者には幸運と悲運が交互に訪れた。そして、司馬遷は南越列伝の最後に「禍福はあざなえる縄のごとし」と結んでいる。

新田義貞が元弘三年（1333）に上野国新田荘で挙兵してからの5年間は、まさに幸運と悲運が訪れたことがわかる。北条氏を打倒すべく稲村ケ崎の海岸線を突破する際に、高気圧・低気圧・梅雨前線による絶妙の気圧配置があり、陸から沖合に向けて北から風が強く吹いた。この気象現象が義貞に幸運をもたらしたのであろう。そして、もともと足利尊氏とは主従関係であったかもしれない義貞を、尊氏と並ぶ鎌倉幕府打倒の立役者にした。

これに対し、延元元年（1336）初冬に後醍醐天皇のもとを離れ、恒良・尊良の2人の親王を奉じて北国へ下向する際に、11月にもかかわらず日本海寒帯気団収束帯による大雪に見舞われた。この災難により、上野国の生品明神での挙兵以来の将兵を数多く失った。義貞は越前国一国を制覇することができず、東国への帰還もままならず、どん詰まりの状況に陥ってしまった。そして2年後の延元三年（1338）七月に越前国藤島で戦死してしまう。

新田義貞にとってあざなえる縄は気象現象であった。幸運をよんだ気圧配置、不運に陥れた日本海寒帯気団収束帯、それぞれは季節外れの天気という縄にからみついていた。

第2章　空梅雨

――長篠の戦いでの信長の勝因は何か

「今度《このたび》間近く寄合候事、天与ふる所に候間、悉《ことごと》く可被討果《うちはたさるべき》の旨、信長御案を廻らせられ、御身方一人も破損せず候様に御賢意を加へらる」

『信長公記』巻八

「今般炎天」「昨今祈雨」[1]

『多聞院日記』天正三年五月十六日、二十三日

㈠天正三年五月二十一日

織田信長・徳川家康連合軍と武田勝頼軍が繰り広げた長篠の戦いは、足軽兵で構成された信長の鉄砲隊が歴戦の武田騎兵隊を撃退したとして名高い。高校の日本史教科書では、徳川美術館所蔵の「長篠合戦図屛風」を掲載し、新しい技術が世の中を前進させた事例として挙げることがある。一方で、織田・徳川連合軍は本当に3000丁もの大量の鉄砲を用意したのか、三段撃ちという攻撃態勢を組んでいたのか、武田軍は馬上戦闘を行っていないのではないかなど、長篠の戦いには多くの謎があり、さまざまな議論をよんでいる。

気象の観点からすれば、決戦当日の五月二十一日は現在のグレゴリオ暦でいえば7月9日であり、今日的にみれば梅雨の最盛期であることに関心が集まる。信長は梅雨の最中にあってなぜ大量の鉄砲を用意する作戦を選んだのか、天正三年（1575）の梅雨にはどのような特徴があったのか、仮に決戦日に雨が降り鉄砲が使えなかったらどうなったであろうか。これらの論点を掘り下げてみたい。

▼『信長公記』にみる戦況

まず、もっとも重要な史料とされる太田牛一の『信長公記』の記述を確認してみたい。

天正三年三月下旬、織田信長は武田勝頼が三河に侵攻したとの報告を受け、嫡男の信忠に対応の指示をしている。とはいえ、信長本人は四月六日に大軍を率いて京都を出発し、三好康長が立て籠もる河内へと出陣した。信長は十二日に住吉、十三日に天王寺を回り、十四日に石山本願寺へ攻め入っている。軍勢は10万騎に及び、「都鄙《とひ》の貴賤、皆、耳目を驚かすばかりなり」と書かれている。十九日までに多くの敵将を討ち、三好康長は松井友閑を介して詫びを入れたため、赦免された。

信長は二十一日に京都に帰陣し、数日間、京都で天下への指示を行い、二十七日になって京都を出て翌日に居城のある岐阜に戻った。五月十三日に信長と信忠は徳川軍と長篠城を救援するために岐阜を出陣し、十四日に岡崎まで前進した。その道中で熱田神宮に陣を置き、熱田神宮の八剣宮が朽ち果てているのを見て、大工の岡部又右衛門に造営を命じた。

五月十六日に牛窪、十七日に野田原と進軍し、十八日に設楽が原の極楽寺山に陣を置いた。「設楽の郷」は一段低い窪地だと紹介し、ここに3万の兵を置いたという。滝川一益、羽柴秀吉、丹羽長秀の3人は勝頼のいる東向きに備え、徳川家康と滝川の陣の前に馬防柵をつけた。

太田牛一は、勝頼が滝沢川の東岸にある鳶の巣山に陣を構えていれば何ということもなかったと書いている。ところが勝頼は滝沢川を越え、1万5000の兵で西向きに対峙してきた。両軍の距離は二十町（約2キロメートル）ほどであった。信長は、間近く対峙となったのは天運であるとし、相手を壊滅するための案を提示したという。それも、「御見方一人も破損せず候様に御賢意」を示したとある。

信長は徳川軍の酒井忠次を召し寄せ、徳川軍の2000の兵と信長の配下にある鉄砲隊500丁と400の兵を長篠の南側にある鷹ノ巣山に向かわせた。酒井忠次が率いる兵は二十日の午後7時から9時にかけて乗本川を渡り、南の深い山を回って進み、二十一日の午前7時から9時にかけて旗を立て勝どきを上げて射撃を行い、武田軍から鳶の巣山を奪還した。酒井の軍勢は長篠城の守備隊と一体となり、鳶の巣山に籠城していた武田軍は鳳来寺へと敗走した。

そして、設楽が原で両軍の決戦が始まった。信長は佐々成政や前田利家らを指揮官とする鉄砲1000丁の足軽隊を前進させて様子をうかがった。そこに、武田軍は押し太鼓を立てて次々とかかって来た。一番手に山県昌景、二番手に武田信廉、三番手に熟達した馬術を持つ赤武者の西上野小幡一党、四番手に黒武者の武田信豊、五番手に馬場信春と続いた。いずれも「鉄砲にて待ち請け、うたせ候へば、過半打ち倒され」、「足軽にて介錯、ねり倒され」、引き下がっていった。

午後1時から3時まで、鉄砲隊は入れ替わり戦い多くの兵士を討った。武田軍は兵力が減少したため勝頼の旗のもとに集結することになり、敵わないと判断して鳳来寺に向かって敗走した。織田・徳川軍が討ち取った武田軍の将として、山県昌景、真田信綱、土屋昌次、馬場信春など19名を挙げている。

信長は三河の統治を家康に任せ、自身は二十五日に岐阜に帰陣した。

以上が、『信長公記』に記された長篠の戦いの戦況である。

▼『甲陽軍鑑』にみる戦況

次に、負けた側の武田軍の史料をみてみたい。『甲陽軍鑑』は武田二十四将のひとりである春日虎綱《とらつな》（高坂弾正）の口述を能役者大蔵彦十郎が記録したものを原本とし、この記録を同じく武田二十四将のひとりで足軽大将の小幡昌盛の子の小幡景憲《かげのり》が編集したものだ。かつては単なる軍記物語で史料としての価値は低いとされた。しかし近年、図書館情報大学教授であった酒井憲二博士らの研究により、誤記が目立つのは春日虎綱の記憶違いによるものであり、全体としての史料性は高いと見直されている。[2][3]

長篠の戦いについては、同書の品第十四と品第五十二で語られている。

品第十四で春日虎綱は実際に戦いに参加した阿部加賀守の報告を語る。馬場信春、山県昌景、内藤昌豊の3人が勝頼に対して3つの案を示したとする。すなわち、織田・徳川連合軍は大軍ゆえ甲斐に帰国するか、また長篠城攻略を優先するか、あるいは兵站が短いことを有利として持久戦に持ち込むかというものであった。しかし、勝頼の腹心の部下の長坂長閑《ちょうかん》は、武田家には新羅三郎義光以来、敵勢をみて退いたことはなく、城攻めは味方の損害が目立ち、持久戦となっても信長が軍を退かず向かってきたら戦うしかないと反論した。勝頼は長坂の言を容れ、一同は武田家累代の御旗と盾なしの鎧で誓約を行った。

五月二十一日の戦闘は「三時《みとき》ばかり」（約6時間）であったという。右翼は一番手が馬場信春、二番手が真田信綱、三番手が土屋昌次、四番手が穴山信君、五番手が一条信龍の五手、左翼が山県昌景以下五手で布陣した。武将や主だった者7人から8人は馬に乗り、残りは鑓を持って徒歩で相手に切り込んだ。馬防柵を二重まで破ることもあったが、兵力差は大きく、「柵の木三重まであれば、城攻めのごとくにして、大将ども悉く鉄砲にあたり死する」こととなった。

品第五十二でも、設楽が原での決戦前夜、馬場信春、内藤昌豊、山県昌景、小山田信茂、原昌胤《まさたね》らが戦う必要はないと諫めたものの、勝頼は長坂長閑および跡部勝資《かつすけ》とともに合戦決行を決めたとある。

戦況は織田・徳川軍が設けた3つの要害と三重の柵をめぐる争いに終始した。馬場信春や内藤昌豊がそれぞれ佐久間信盛や滝川一益を追い込んでも、彼らは柵の中に戻ってしまう。柵の外での激戦となったのは武田軍左翼の山県昌景と対峙した徳川家康で、攻防は9度に及んだとある。そして、山県昌景が鞍の前輪が外れてバランスを崩したところ、前から鉄砲で撃ち抜かれて討死した。品第五十二で鉄砲に言及されるのはこの箇所だけだ。

右翼では真田信綱、土屋昌次らが柵の中まで攻め込み、三重のうちのひとつを破ったものの兵力の損失が大きかった。信綱も昌次も討死してしまう。馬場信春の部隊も損失が大きく、やむなく退却を指示した。彼自身は滝沢川の橋場まで下がったものの、再び戦場に戻り、丘の上で自ら名乗り討死した。前夜に「(決戦を) おとどめ申す馬場美濃はおおかた討死をとげるのだ」と語ったという。決戦を避けるべきと勝頼に進言した自分は討死せねばならないとの覚悟から、信春の美意識がうかがえる。

春日虎綱は『甲陽軍鑑』品第十四で敗因分析を行っている。武田軍の兵力1万6000人で織田・徳川軍7万人の軍勢に対したのだが (兵力数は品五十二と相違)、3つの要害と柵の木を三重にずらして待ちかまえていたのだから、「敵四人にこなた一人のつもりなれども、敵に十万の加勢なり」と相手の数的優位がさらに増していたと説明し、「喩《たと》へば、十七万の人数の籠りたる城を一万六千にて攻めたるがごとき」であったとする。そして、信玄は相手1000人が立て籠る城に対して味方の軍勢1万人を用意したのに、と寡兵で攻め入った判断を悔やんでいる。また、「武田武者馬を入る、という儀、虚言なり」とし、設楽が原の合戦場は馬を10騎並べるような地形ではなかったとも述べている。[4][5]

▼新田次郎の『梅雨将軍信長』

このように『信長公記』では、長篠の戦いの勝敗を決めたものとして、織田・徳川軍の１０００丁に及ぶ鉄砲の大量使用を挙げた。一方の『甲陽軍鑑』でも、織田・徳川軍は相当数の鉄砲を使用したとの記述になっている。馬場信春とならんで武田軍の中で最強の将とされた山県昌景が撃たれたのを代表例として、多くの大将も鉄砲に狙撃されたとする。

しかし、長篠の戦いで設楽が原の激闘が行われたのは、和暦で五月二十一日であり、これはユリウス暦で6月29日、欧州で１５８２年以降用いられている現在の太陽暦であるグレゴリオ暦では7月9日に相当する。今日の東海地方での梅雨入り・梅雨明けの平年値は、梅雨入りが6月8日頃、梅雨明けが7月21日頃である。過去68年間に7月9日以前に梅雨明けした年は5回（１９５５年、１９７３年、１９７８年、２００１年、２０１８年）あるものの、確率的には14年に1度程度でしかない。通常であれば、7月上旬は梅雨の真っ盛りといえる。戦闘の際に雨が降ったなら、火縄で着火していた鉄砲を使用することはできなくなる。

作家の新田次郎は、１９３２年に無線電信講習所を経て気象庁に入庁し、１９６６年に観測部測器課長で退職するまで勤務生活は35年間に及んだ。歴史作家として名声を築いたが、その経歴から歴史と気象を交えた作品が少なくない。

短編『梅雨将軍信長』は、信長の人生にとって画期となる3つの戦いがすべて梅雨の時期に起きた点を主題にしたものだ。3つとは、桶狭間の戦い、長篠の戦い、そして本能寺の変である。小説ゆえ、信長の後見人で彼を諫めるために自刃した平手政秀に弟がいたと設定し、平手左京亮《さきょうのすけ》と名づけて気象予報の達人とした。今日の言葉でいえば気象予報士といったところか。

平手左京亮は桶狭間の戦いの前日に、「陽気」が旺盛になったゆえに午後は大豪雨になるとして、信長に清州城を出て野戦するよう勧めた。そして長篠の戦いでは、「温気《うんき》の間休」（梅雨の中休みの時期）が五月二十日過ぎだろうと予想し、長篠への到着を意図的に遅らせるべきだと進言とする。信長は十八日に設楽が原に陣を置き、小説の設定では十九日、二十日と雨が降り、勝頼は騎馬隊が自在に動けないと決戦をためらった。信長はこの2日間で馬防柵を完成させる時間を得た。二十一日に平手左京亮の予想通り梅雨の晴れ間となり、決戦では武田軍は馬防柵の前で壊滅したとする。ちなみに本能寺の変では、平手左京亮は「赤気」（極光）が観測されており、こうした空の異常は人の心を乱すことがあると主張し、家臣の謀反の可能性を指摘する筋立てになっている[6]。「陽気」「温気《うんき》」など、いかにも気象観測に長年従事してきた作家らしい着眼である。果たして天正三年の梅雨の状況とは、どういうものであっただろうか。

(二)天正三年の梅雨の実態を探る

▼興福寺『多聞院日記』

奈良の興福寺の塔頭《たっちゅう》のひとつである多聞院では、戦国時代から江戸時代初期にかけての140年間、日記（日乗）が書き継がれた。原本は散逸しているものの、江戸時代の享保年間前後に写本されたものが残っている。天文八年（１５３９）から文禄五年（１５９６）までの58年間は、多聞院主であった英俊が記した。そして、日記の常として天気についての箇記を拾うことができる。長篠の戦いが行われた前後の天正三年春から夏にかけての日々の天気を記載した記録は、この『多聞院日記』が唯一のものだ[1]。

『多聞院日記』では、長篠の戦いの前後の10日の天気の状況について、次のように記載している。算用数字の日付はグレゴリオ暦のものを示している。

- 五月十一日（6月29日）：大雨下了
- 五月十六日（7月4日）：今般炎天、七月十五日（？）大雨でその後下らず
- 五月十八日（7月6日）：恒例により講堂にて祈雨のため仁王経講読すると、早朝より雨が降り、珍重珍重
- 五月二十一日（7月9日、長篠の戦い当日）：少雨下了
- 五月二十三日（7月11日）：昨今祈雨、雨少下
- 五月二十四日（7月12日）：祈雨、雨不下
- 五月二十六日（7月14日）：祈雨、大般若経を購読
- 六月二日（7月20日）：以外炎天

もとより、雨は空間的・時間的にさまざまな要因で降るものだ。限られた地域で短時間降る雨は局地的な降水といって、日中に地上の気温が上昇することで起きる熱雷などがある。一方で、西から東

へと移動する温帯低気圧に伴う前線において、暖かい気団が冷たい気団を滑昇する過程で起きる広い範囲（総観規模）での降水もある。後者の場合、半日以上にわたって降雨が続くことがある。冬季の日本海側での降雪を除くと、日本列島で24時間以上雨が降り続く要因は梅雨前線と秋雨前線、そして台風だ。

なお、興福寺から長篠まで、直線距離にして160キロメートルほどある。総観規模という前線を伴う低気圧の移動に由来する降水であれば、この距離を西から東に進むのに6時間から半日程度の時間がかかるだろう。『多聞院日記』に五月十八日に珍しく雨が降ったとあり、その後の二十一日も少雨であれば、長篠においてもこの期間に梅雨前線に由来する大規模な降水が発生していなかったと推測できる。

▼8回に及ぶ「祈雨」

降雨の記述とともに注目すべきは、度重なる「祈雨」という文字だ。グレゴリオ暦でこの年の7月にあたる天正三年五月十三日から六月十四日にかけて、興福寺で雨が降るよう祈った記述は8回に及ぶ。7月4日（五月十六日）の「今般炎天」、7月20日（六月三日）の「以外炎天、沈思沈思」、7月31日（六月十四日）の「今般炎天」という状況を受けてのことだろう。興福寺では仁王経や大般若経などが読経された。仁王経は護国三部経のひとつであり、奈良時代から「祈雨」や「止雨」の祈禱においてて法華経、金光明最勝王経とともに講読されてきたものだ。そして、7月31日（六月十四日）の末尾に加筆したように「十八・十九日大雨下在、大慶也」とようやく大雨が降ったことを喜んでいる。

こうしてみると、天正三年は雨がほとんど降らない空梅雨であることは間違いない。8月4日（六月十八日）から5日（六月十九日）に2日続いた大雨が梅雨前線に由来するものなのか、台風などの別の要因によるものなのか。『多聞院日記』からははっきりしたことはわからない。

もっとも、天正三年に限ったことではなく、当時は空梅雨が常態化していた可能性があるかもしれない。そこで、天正三年を挟む5年間の『多聞院日記』での梅雨の状況を調べたものが表2-1である。『多聞院日記』では元亀四年（1573）の春から夏にかけての日記が現存しないため、興福寺一条院門跡の二条宴乗による『二条宴乗記』にて補った。[7]表の日付はすべてグレゴリオ暦による。

元亀三年（1572）は天気の記載が少なく、梅雨の傾向についてはよくわからない。ただし、8月1日と3日に「祈雨」とあることから水不足があったようだ。

元亀四年（1573）の6月から7月にかけては、6月の雨天は、12日、14日、24日（夜大雨）、27日（夜大雨）、28日、30日（夕立）とある。7月になると、1日（大雨）、6日（大雨）、9日（大雨）、10日（大雨）、11日、12日と梅雨末期を想起させる降水量の多い日が続き、その後は夕立以外に雨は降っていない。13日には梅雨明けしたとみていいだろう。現在の梅雨明け時期からすると比較的早い。

天正二年（1574）は6月15日（五月十六日）に「雨下、珍重珍重」との記述が目立つものの、元亀四年と同じく『多聞院日記』での天気の記載は少ない。『二条宴乗記』にも天気の記載はなく、この年の梅雨についてもはっきりしたことはわからない。

	1575	1576	1577
	天正三年	天正四年	天正五年
		『多聞院日記』	
	13日、29日	21日（大慶）、25日	19日（珍重）
	20日	18日（大慶）、21日	23日
	6日、12日	3日、14日夕立（珍重）	1日、6日
		（15日「三十日間雨降らず炎天」）、16日	
	15日朝、（8月4・5日）	4日	1〜4日、7日、13〜16日、（8月3日大風）
	6日（珍重）		
	9日、11日	2日（五穀豊穣）、 16日夕立	30日夕立、31日夕立
	11日、12日、14日、21日、24日、26日、29日、30日		
	空梅雨 水不足（干ばつ）の様相。 8月4日、5日に大雨（梅雨明けか？）。	5月から雨が降らなかったものの、6月下旬から多雨。 7月初旬に梅雨明け。 7月3日「河内、以之外大水」	6月不明 7月に数日続く大雨が2度にわたる（災害級）。 8月3日台風

表2－1　文献記録での元亀三年から天正五年の梅雨（1572～1577年）

		1572	1573	1574
		元亀三年	元亀四年	天正二年
出典		『多聞院日記』	『二条宴乗記』	『多聞院日記』
6月	大雨		24日、27日、30日	30日
	雨	2日、3日、15日	12日、14日	15日（珍重）、21日、23日
	少雨		28日	3日夕立、29日
	祈雨			
7月	大雨	6日、（8月5日）	1日、6日、9日、10日	8日
	雨	10日、28日	11日、12日、22日大夕立（珍重）、30日	
	少雨		25日夕立、26日夕立	
	祈雨	（8月1日、3日）		
梅雨の状況		梅雨開けは8月以降か	7月13日以降に梅雨明け	不明

出典：辻善之助編（1967）：多聞院日記．第二巻　角川書店
　　　水越允治編（2004）：古記録による16世紀の天候記録．東京堂出版

天正四年（1576）では、『多聞院日記』四月のものは現存しておらず、6月1日（四月二十四日）から6月6日（四月二十九日）までは不明だ。6月7日（五月一日）に「近日一向雨不下《くだらず》、卅日余炎天、沈思沈思」とあり、水不足の気配であり、6月14日（五月八日）に「夕立雨降了、去月初ヨリ不下、尤《はなはだ》珍重珍重」と記された。翌々日の16日（五月十日）には「祈雨」の講読が大乗院西室で行われたとある。祈雨の効果があったためでもないだろうが、6月18日（五月十二日）に「及晩雨少下、一夜明迄大雨降、作毛大旨《おおむね》満足、尤大慶也」と大雨が降ったことで満足し、6月21日（五月十五日）にも、「晩ヨリ又雨、弥《あまねく》大慶也、一日大雨」と梅雨らしい天気となった。6月25日（五月十九日）には「昨夜後夜ヨリ大雨降了、諸作毛心安」と農業への安堵を表している。

7月の雨の記述はほとんどなく、2日（六月二十六日）に「雨少々」といいつつ、「五穀豊穣」と加えている。これ以後の天気の記載は、4日（六月二十八日）に「晩一夜又大雨下了」とあるだけだ。ただし、3日に河内から戻った人間の報告として「以之外《もってのほか》大水」とあり、6月に降った雨により河川の水が満ちて随所で洪水まで起きていたとある。このような経緯から、天正四年は6月中旬以降に降水量が多く、7月初旬に梅雨明けしたのかもしれない。

天正五年（1577）は天正四年と対照的な梅雨であった。6月中の雨が少なかったようで、6月19日（五月二十三日）に「晩大雨下、珍重珍重」と書いており、30日（六月五日）に「祈雨」が行われた。ところが、雨乞いの読経が通じたのか、7月初旬にいきなり豪雨が続いた。1日（六月六日）に「夜中ヨリ大雨下」と始まり、4日まで大雨が続いた。さらに7日（六月十二日）に一晩雨が降った後、12日（六月十七日）に「晩大雨下、夜明止了」といったんやんだものの、13日（六月十八日）

から再び大雨が一日中降る日が続き、15日（六月二十日）に「大雨下不止」とあり、17日（六月二十二日）になってようやく「雨止了」となった。「大風（台風）」という記述がないことから、梅雨前線が居座り続けたと考えられる。２度にわたって連日の大雨が続くとなると降水量は多く、災害級の状況であったのではないか。こうした豪雨は梅雨末期を思わせるものがある。以後、30日（七月五日）と31日（七月六日）に「夕立」とあるだけなので、18日をもって梅雨明けしたのかもしれない。また、8月3日（七月九日）には大風（台風）が来ている。

天正四年と天正五年をみると、梅雨前線が活発になった時期こそ天正四年は6月下旬、天正五年は7月初旬とずれがあるにせよ、私たちに馴染みのある梅雨の時期での天気の推移といえるだろう。改めて前後数年と比較すると、天正三年の記載は極めて異例なものであることが浮かび上がってくる。7月初旬になっても雨を珍重とし、8回にわたって祈雨の講読を行っている。そして、月末の記事に付記するように8月になってようやく大雨が降ったとし、執筆者は満面に笑みを浮かべるかのように「大慶」と記しているのだ。

▼樹木年輪から探る夏の気温

コロンビア大学ラモント・ドハティ地質研究所のエドワード・クック教授らは２０１２年、科学雑誌《Climate Dynamics》に論文「樹木年輪による８００年以降の東アジアの夏の気温の推計」を発表している。南はインドネシアのジャワ島、西はカラコルム山脈、北はモンゴル高原からシベリア、そして東は日本列島の知床まで７７３カ所から樹木年輪の標本を採取し、夏季にあたる６月から８月

図2－1　樹木年輪から推定する東アジアの1200年間の夏の気温

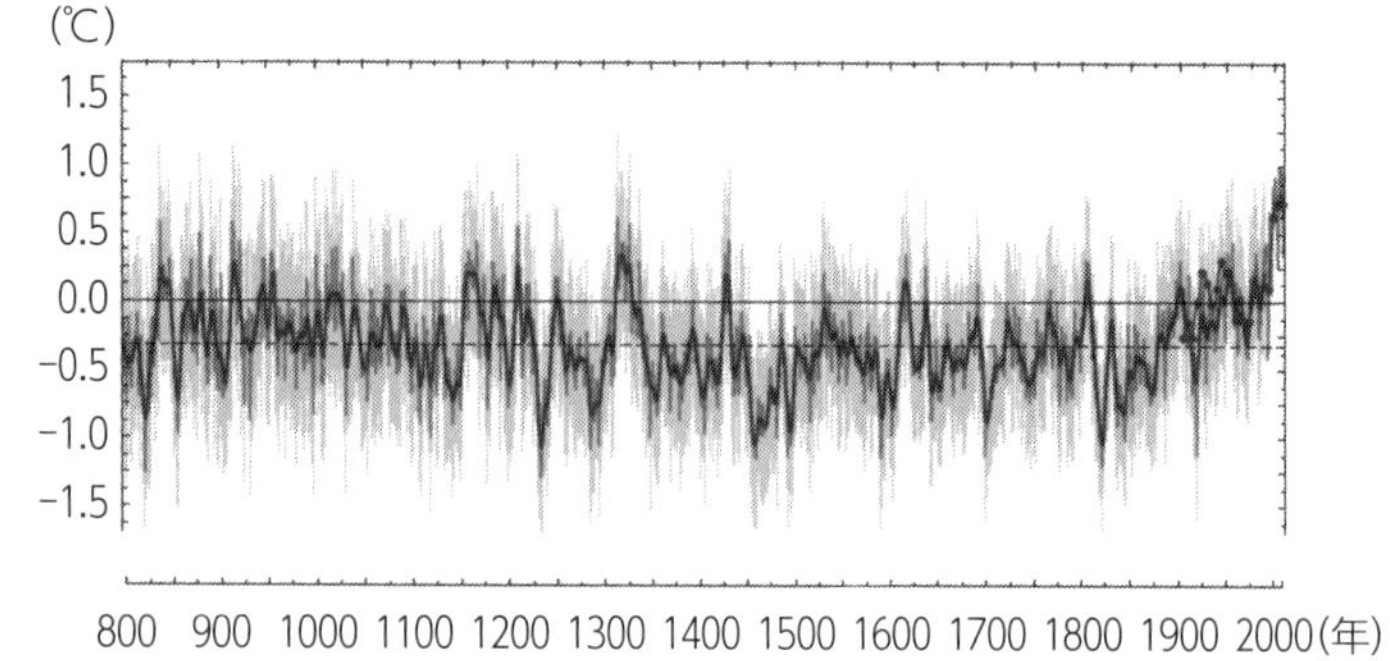

注：1960～1990年の平均からの偏差
細線：各年
太線：10年平均
出典：Cook et al（2012）：Tree-ring reconstructed summer temperature anomalies for temperate East Asia since 800 C.E. *Climate Dynamics volume 41*　pp. 2957-2972

の年毎の平均気温を推計したものだ。光合成がもっとも活発な季節は夏であり、樹木年輪からの気温推計は通年よりもこの季節に限った方が適していると している。共同執筆者として、名古屋大学の中塚武教授や早稲田大学の佐野雅規講師の名前も挙がっている[8]。

同論文には８００年以降の東アジアの夏の気温推移がグラフで表示されている（図2－1）。東アジアという大きな地域全体での平均的な気温推移の傾向を知るには貴重な研究成果であり、８世紀から10世紀と12世紀に気温が高く（西洋史の尺度でいう「中世の温暖期」）、14世紀から19世紀までは気温が低く推移している（「小氷期」）という明瞭な違いが出ていて興味深い。

とはいえ、このグラフで戦国時代の日本の限られた地域の気候を考えるにはやや無理があろう。アメリカ海洋大気庁のデータベースには７７３カ所のそれぞれの標本の解析結果が掲示されている。７７３

図2−2　樹木年輪から推計する本州中部の夏の気温（1565〜1585年）

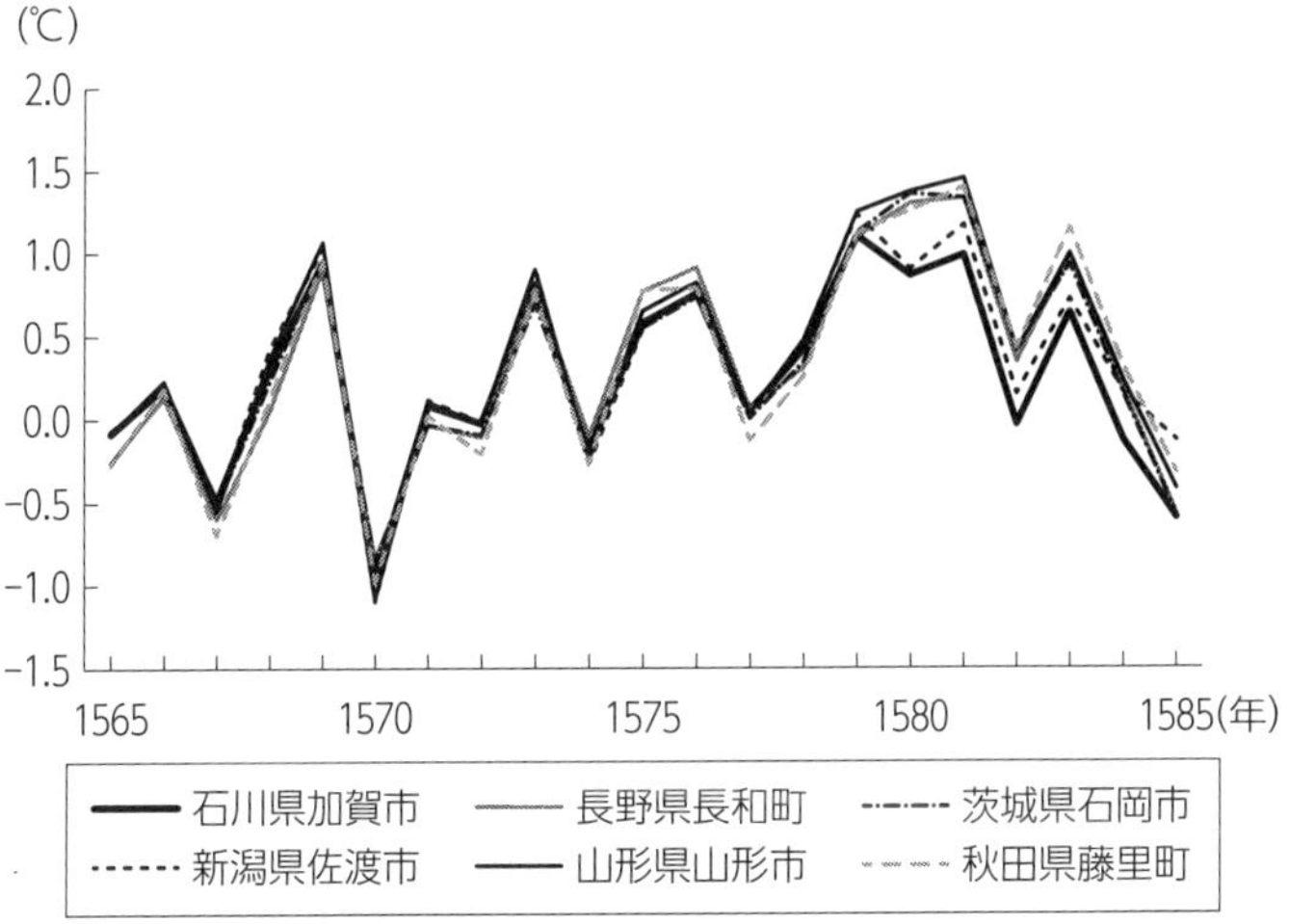

注：1960〜1990年の平均からの偏差
出典：https://www.ncdc.noaa.gov/paleo-search/study/19523

カ所の中で日本列島とその周辺の標本は34あるが、この中で本州中部地方から東北地方にかけての6地点の標本の解析結果を図示しているのが図2-2だ。数カ所の標本数ゆえ、それぞれの年の夏の気温が傾向として高かったか、低かったかという点に着目したい。ありがたいことに、6地点の標本の解析結果はすべて同じ傾向を示している。

元亀四年（1573）夏の気温は高めであり、『二条宴乗記』では7月中旬の梅雨明けを示唆していた。天正二年（1574）夏は前年と比べて低下している。

これに対し、長篠の戦いのあった天正三年（1575）夏の気温は元亀四年並みに高めとなっている。『多聞院日記』では雨が降らないだけでなく、「炎天」の文字があることから、日照時間は長かったためであろう。

天正四年（1576）夏は、6地点すべて

で天正三年夏よりもさらに気温が高くなっている。6月中旬には大雨が何度もあり、河川の水量は増していたものの、7月上旬には梅雨が明け、太平洋高気圧が張り出したのであろう。気温も湿度も高い典型的な夏が、7月半ばから始まったと想定される。もっとも、天正三年と天正四年の夏の気温は、当時の傾向として非常に高いとまではいえない。天正七年（1579）から天正九年（1581）にかけては、さらに高い数値になっているからだ。

天正五年（1577）夏の気温は前の2年と比較して低下している。『多聞院日記』によれば6月は雨が少なかったものの、7月上旬には2度にわたって大雨が続く期間があった。日照時間が短かったことで、気温は低めに推移したと考えられる。

このように英俊の『多聞院日記』や宴乗の『二条宴乗記』の天気についての記述と樹木年輪からの気温推計を見比べると、天正二年はよくわからないものの、元亀四年と天正三年から天正五年までの4年の梅雨傾向については、整合的といえる。

三 空梅雨をもたらした自然環境は何か

▼気候の変化のカギを握る海面水温

天正三年の梅雨の特徴として、興福寺の日記では少雨とあり、樹木年輪は高温傾向を示していることがわかった。このような気象は、どのような自然環境のときに現れるのだろうか。近年の気候変動の事例から探ってみたい。

１カ月を超える気候の平均的な状況やその変化を考える場合、大気の状態ばかりを眺めてはいけない。熱量などの物理量でみると、海洋は大気と比べて圧倒的に大きく、数カ月や数年という単位で考えれば、海洋が大気のあり方を決めているといっても過言ではないからだ。このため、気象庁では１カ月を超える季節予報（３カ月予報、暖・寒候期予報）については、大気海洋結合モデルを用いている。このモデルでは大気と海洋についてのそれぞれの力学的モデルを結合し、その相互作用を考慮しながら大気と海洋の動きを一体化した予測を行っている。

海洋の変動が長期的な気象を変えるという点において、代表的なものがエルニーニョ現象である。エルニーニョ現象とは、太平洋の東部熱帯域の海面水温が３年から７年おきに平年よりも２℃から３℃上昇するものだ。反対に同じ熱帯域の海面水温が平年よりも１℃から２℃下がる場合をラニーニャ現象という。わずかな数℃の海面水温の変動ではあるものの、この動きが太平洋熱帯域の風や海流の流れに影響を及ぼし、ひいては東アジアやインド洋のモンスーン（季節風）の強弱に関係し、さらに熱帯域を越えて中緯度の国々まで異常気象をもたらす原因になる。

そして、エルニーニョ現象は日本の気候を大きく変える力を持っている。「エルニーニョ現象が発生すれば日本で冷夏・暖冬」「ラニーニャ現象が発生すれば日本で猛暑・厳冬」という関係を聞いたことがあるだろう。統計的にみると、このような傾向がおよそ半分の確率で起きている。

では、天正三年夏のような本州での少雨・高温傾向はエルニーニョ現象やラニーニャ現象が発生したときに起きるものだろうか。残念ながら、過去の統計からは、東日本や西日本でそのような傾向はみられない。とすると、エルニーニョ現象以外の別の自然環境の変動はないものか。

▼インド洋ダイポールモード現象

太平洋熱帯域で発生するエルニーニョ現象に類似する現象として、インド洋ダイポールモード現象（IOD：Indian Ocean Dipole）とよばれるものがある。東京大学の山形俊男名誉教授らが1999年に発見したもので、熱帯インド洋の東側と西側での海面水温の違いに着目している。数年に1度の頻度でインド洋の東西で海面水温の差が大きくなるのだが、南東部の海面水温が低く、西部で海面水温が高くなる状況を「正」とよぶ。反対に南東部の海面水温が高く、西部で海面水温が低くなる傾向を「負」という（図2-3）。

インド洋ダイポールモード現象が「正」のとき、インド洋南東部の低い海面水温が東アジアのモンスーンに影響を与えることで、ひいてはユーラシア大陸を西から東へと吹くジェット気流が大気の波のエネルギーを東アジアに運ぶ。この結果、日本付近は地上から大気の上層まで高気圧に覆われることが多くなる。エルニーニョ現象が欧米や日本などの中緯度の離れた地域の気候を大きく変えることをテレコネクションとよぶが、インド洋ダイポールモード現象が「正」の状況でも、テレコネクションが起きる。[9]

気象庁では、インド洋ダイポールモード現象が「正」のときの日本の気候の特徴を統計的に検証している。図2-4は、過去の5つの事例から6月から8月という梅雨の時期を含む3カ月間の気温・降水量・日照時間を示したものだ。これをみると、東日本と西日本では「高い気温」と「少ない降水

図2−3　エルニーニョ現象とインド洋ダイポールモード現象

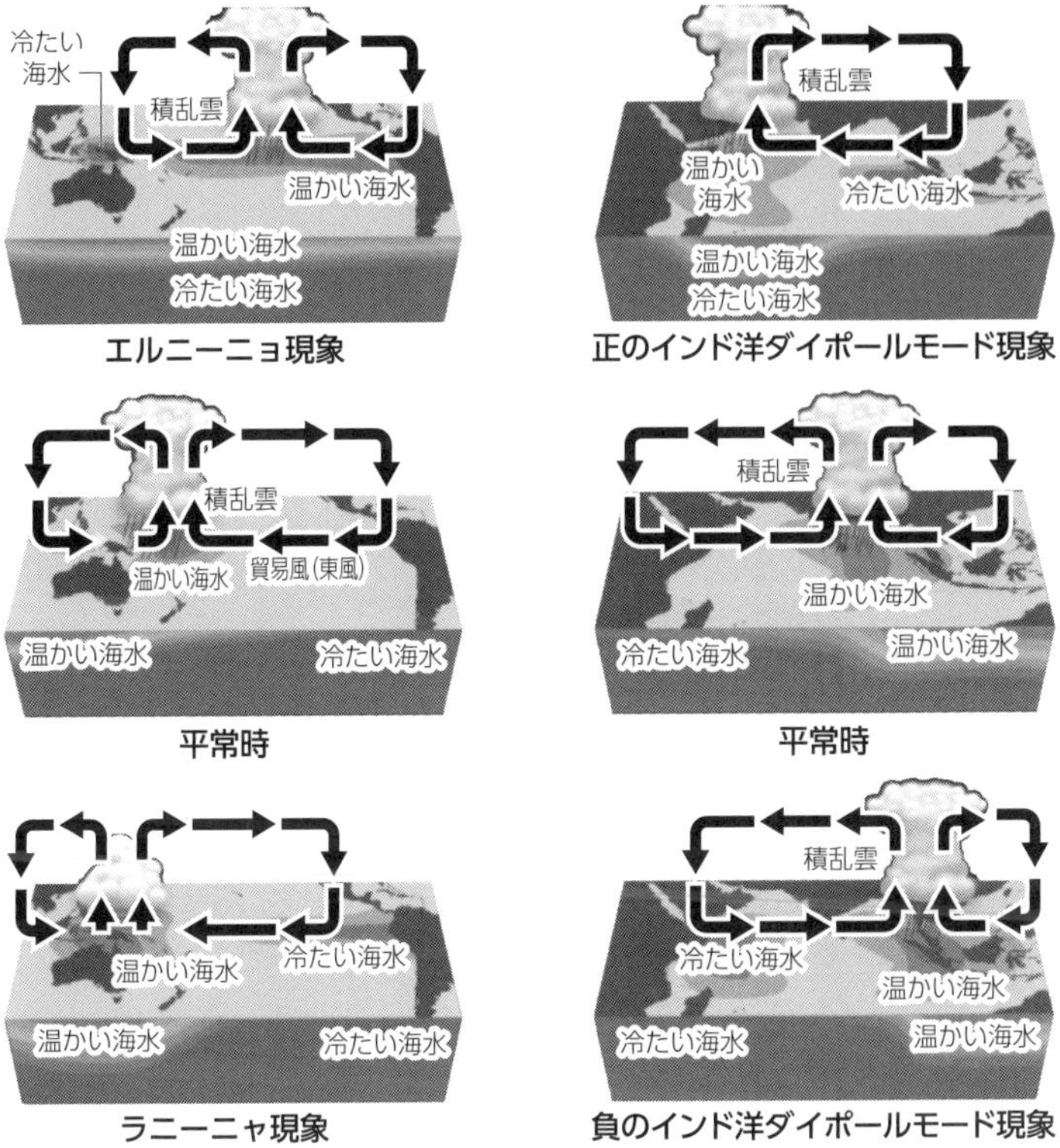

出典：海洋研究開発機構（2017）：*Blue Earth*. 152

図2－4　インド洋ダイポールモード現象が「正」のときの日本の6月から8月の気候

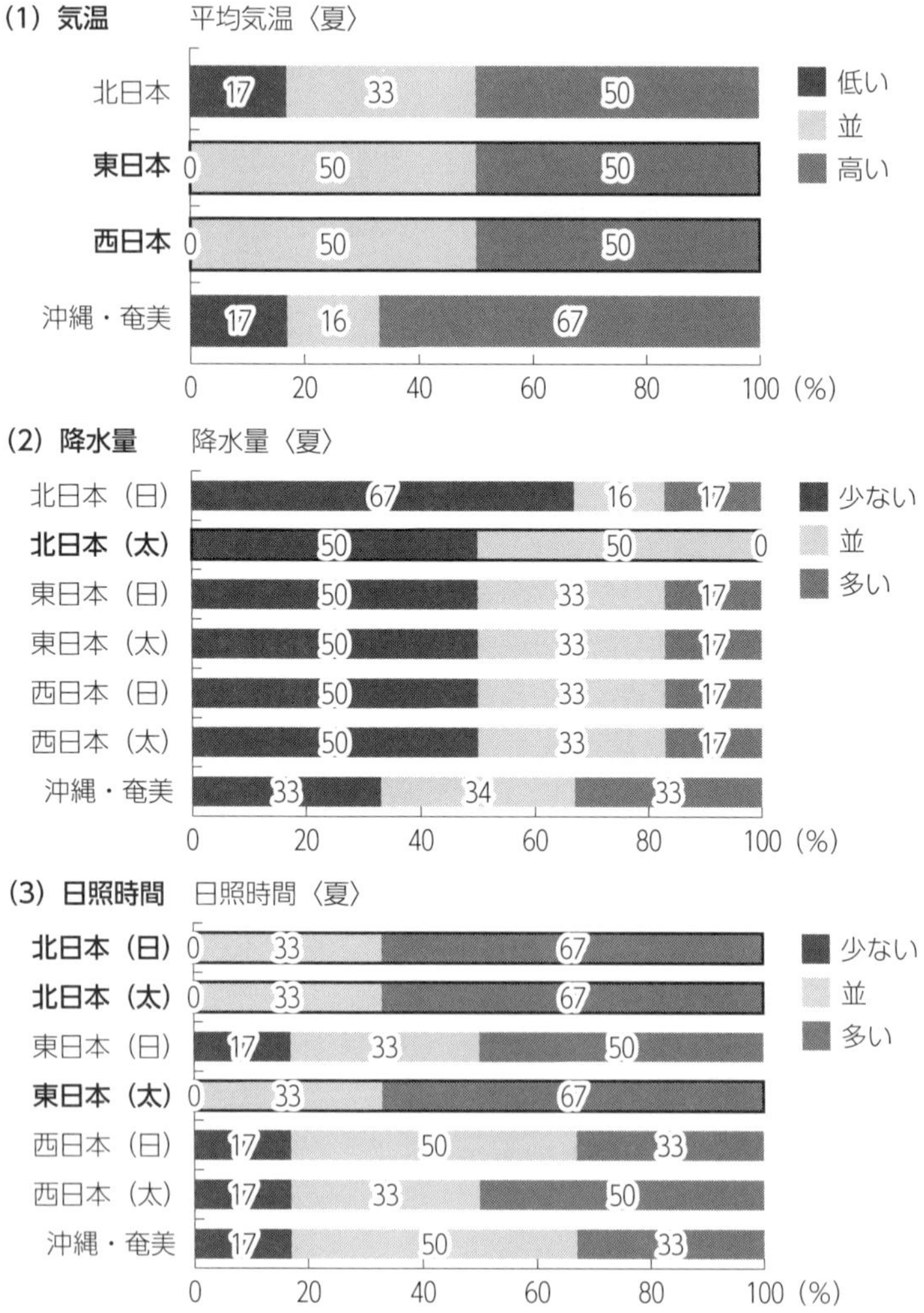

出典：気象庁HP「正のインド洋ダイポールモード現象時の日本の天候の特徴（詳細版）」

量」の確率が50％となっており、「日照時間が多い」については東日本太平洋側で67％、西日本太平洋側で50％となっている。㈡でみてきた天正三年の梅雨の時期の少雨・高温傾向とは、インド洋ダイポールモード現象が「正」であったのに由来するのかもしれない[10]。

▼１９９４年の渇水

『多聞院日記』の中で、英俊は雨が降るたびに「大慶」とよろこび、「五穀豊穣」「作毛旨満足」「諸作毛心安」「万作珍重」と農業への好影響に言及している。灌漑設備が脆弱であった古代から中世において、雨が降らないと干ばつによる凶作が頻発していた。奈良時代を対象とする『続日本紀』をみると、近畿地方以西において気象災害は冷害よりも干ばつの割合が多かった。灌漑設備が充実し、干ばつによる凶作が激減するのは江戸時代以降だ。

それでも、現代においても数十年に1度、深刻な水不足に襲われる。近年のインド洋ダイポールモード現象が「正」であった典型的な事例が１９９４年夏から秋にかけての発生であり、この年は近年稀にみる深刻な渇水（水不足）となった。東日本では4月から、西日本では5月から降水量が平年対比でみて減少し、日本列島の広い範囲で渇水が社会問題となった。図2-5は、１９９４年6月から8月の平均気温・降水量・日照時間を平年比で示している。全国的に気温は１・5℃から2℃高く、降水量は40％から70％と減少し、日照時間は多いところでは１３０％から１４０％になっていることがわかる。

東海地方から近畿地方では、梅雨の時期の降水量が30％から40％しかなかった。この地域での水系

図2－5　1994年6～8月の平均気温・降水量・日照時間

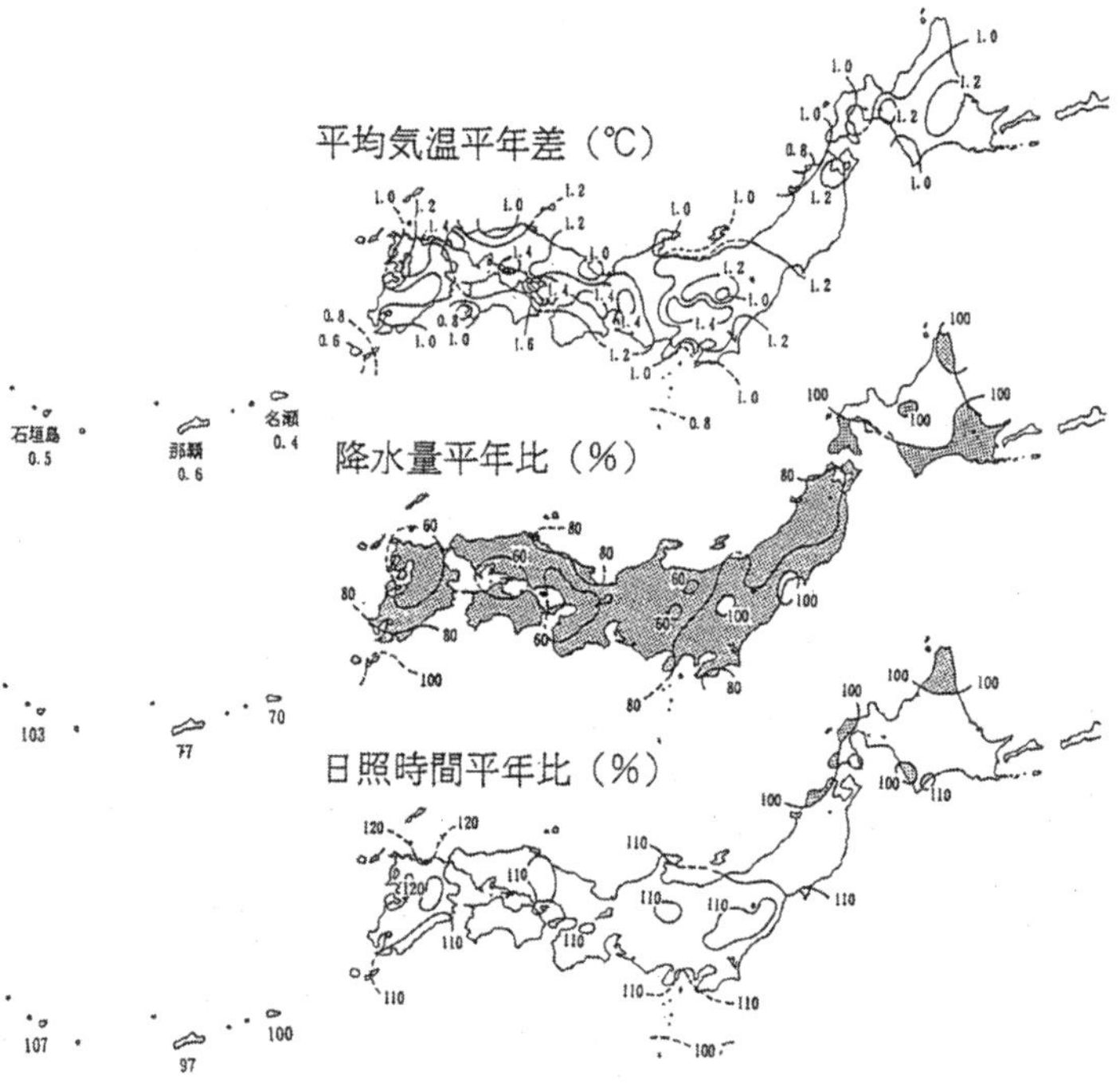

出典：北村修（1995）1994（平成6）年の日本の天候の特徴．*農業気象*　**51**（2）pp.159-165

の渇水状況をみると、東海地方では6月上旬から木曽川系および豊川系の各ダムで取水制限が行われ、牧尾および阿木川ダムでは8月5日には利用水量がゼロになった。近畿地方では琵琶湖で8月下旬から取水制限が開始され、水位は基準を123センチメートル下回り、過去最低（1939年12月の基準比マイナス103センチメートル）を下回った。

　ダムでの取水制限を受けて、生活用水・工業用水・農業用水のそれぞれで給水量の調整が実施された。生活用水では、水道水を給水する圧力を下げ水量を少なくする減圧給水と、給水時間を制限する時間給水が実施された。影響を受けた人口は9月15日のピーク時に1万1766万人にのぼった。影響度が大きかった地域は、東北地方南部、東海地方から中国・四国地方にかけての西日本であった。

工業用水では、関東地方から九州地方まで工業用水道で取水制限が実施され、生産調整や生産ラインの停止を余儀なくされた企業もあった。農業用水では約50万ヘクタールの農地で水田への給水を時間や順番を決めて行う番水が実施されたが、野菜類や果樹類の肥大不良・落果や家畜の死亡などにより総額で1400億円にのぼる被害が出た[11][12]。

▼日本の水収支の現状

1994年の事例にみられるように、降水量が減少してダムの貯水量が少なくなると、まずは農業用水の取水制限が実施される。生活用水まで影響が及ばないせいか、社会問題化することはあまりない。大きな背景として、水資源の収支が安定的に推移しているからだ。

国土交通省の水管理・国土保全局水資源計画課の推計によれば、日本に降る年間降水量はおおむね6500億立方メートルで、うち2300億立方メートルが蒸発散し、3400億立方メートルが海洋あるいは地下に流れ、残りの799億立方メートルが人間活動に用いられる。琵琶湖の水量にして約3杯分に相当するという。そして、799億立方メートルの中で64％が農業用水、10％が工業用水、26％が生活用水となっている。ちなみに降水以外に地下水の利用がそれぞれ別途30億立方メートルある[13]。

こうした構成から、農業用水がバッファーになっており、貯水量が減少した場合にまず取得制限が行われる。また、農業用水・工業用水・生活用水のすべてで1995年以降使用量が減少しており、1995年に899億立方メートルだったところ、2015年には799億立方メートルと約9％減少している。近年、広い地域での深刻な水不足（渇水）が発生しなくなった背景といえるだろう[14]。

とはいえ、水不足（渇水）についての対策は、平年の降水量とその値からの変動率を前提にしている。今後、人為的な地球温暖化の進展により、日本各地で季節ごとでの気圧配置のあり方が変わるとの予測もある。各地の気候が長期的に変化していくとすれば、今まで講じていた対策では不十分になる恐れが増すかもしれない。

(四)信長の勝因は何か

▼織田・徳川軍の軍事行動

(一)でみたように、『信長公記』から、織田信長の行動は、四月六日からの15日間の三好康長に対する畿内での軍事行動の後、二十一日に京都に帰陣し、二十八日に岐阜に戻ったことがわかる。15日後の五月十三日に徳川家康を救援するために岐阜を出発し、5日後の十八日に設楽が原に陣を置き、直ちに馬防柵の構築を行っている。そして、五月二十日の酒井忠次による鳶ノ須山攻略の翌日二十一日に、設楽が原での決戦となる。

信長は三月下旬に武田軍の三河侵攻について報告を受けており、徳川家康方の長篠城が包囲されていることを知っていた。しかし信長は急がず、四月二十八日から15日間岐阜に滞在している。軍団の休息という意味もあろうが、勝頼に対して大軍を用意するにはそれなりに準備する時間が必要だったのだろう。

『信長公記』には設楽が原での織田・徳川連合軍の兵力は3万とあり、兵站を含めた軍事物資は膨大なものであったに違いない。鉄砲は鷹ノ巣山攻略のために500丁、設楽が原の決戦で1000丁とあるから、少なくとも1500丁は用意したことになる。また、設楽が原で砦や馬防柵を構築するための資材も運ばねばならなかった。そして、岐阜を出発するや、順調に行軍して現地に到着し、時を経ずに一気に決戦に持ち込んでいる。一連の軍事行動を振り返ると、梅雨期の気象を考慮した形跡は見当たらない。

出陣前の岐阜での15日間において、局地的な降水は不明だが、前線活動による広域の雨が降ったとすれば、表2-1にある通り興福寺での五月二日（6月20日）と五月十一日（6月29日）の2回に関係するものであろう。それも梅雨期によくある連日雨が降るというものではなく、1日でやんでいる。信長は梅雨の季節であることを認識していただろうが、「今年は雨が降らない」といった程度としか思っていなかったのではないだろうか。

『信長公記』には、設楽が原での決戦の前日に「信長御案を廻せられ、御見方一人も破損せず候様に、御賢意へらる」を示したとある。信長が示した案とは3つの砦と三重の馬防柵を設置し、その間から鉄砲で射撃するという戦術であり、信長はこの戦術を岐阜滞在中から考えていたに違いない。もし、岐阜での15日間が、翌年の天正四年の6月下旬や、翌々年の天正五年の7月初旬のように、連日の雨が続いていたとしたら、信長は鉄砲の大量使用を戦術の大きな柱のひとつとして採用する動機を得たであろうか。豪雨の中を進軍するとなると、火薬が湿気ないように細心の注意を払う必要があっただろうし、決戦当日に雨が降らないと決まっていたわけでもない。

ともあれ、岐阜での作戦準備中にはまとまった雨は2日しか降らず、行軍中も雨に遭遇せず、設楽が原到着後の五月十九日（7月6日）ないしはその翌日に1日だけ珍しく降った程度でしかなかった。こうした天気の経緯の中で、『信長公記』にも『甲陽軍鑑』にも記述されているように、織田・徳川軍の鉄砲が威力を発揮したのだ。まさに天正三年が空梅雨であったという状況によるもので、この天気の偶然が織田・徳川軍に味方したことは間違いない。

▼武田軍の敗因分析

それでは、織田・徳川軍が戦場で鉄砲を使用できなかったとしたらどうだっただろう。岐阜から設楽が原に至る行軍の最中に豪雨にあえば、火薬が湿気ってしまうこともあっただろう。あるいは、決戦当日に小雨でも降れば、火縄に着火しないこともあっただろう。であれば、武田軍が勝利する可能性もあったのだろうか。

興味深い「歴史のイフ」ではあるが、残念ながらそうはならなかったと考えられる。『甲陽軍鑑』では武田軍の敗因として、鉄砲よりも砦や馬防柵などの野戦築城を挙げ、強敵に対する優れた知略だと信長を賞賛している。武田軍は「柵の木三重まであれば、城攻めのごとく」と実感しながら、2倍以上の兵力とされる織田・徳川軍に向かっていった。兵力差は『信長公記』では織田・徳川軍が３万に対して武田軍が１万５０００、『甲陽軍鑑』では織田・徳川軍が７万に対して武田軍が１万６０００（品第十四）あるいは10万に対して１万５０００（品第五十二）となっている。春日虎綱が論じるように、砦や馬防柵など野戦築城を完成させた相手に向かって寡兵で攻め入ったことこそが敗因であった。

織田軍による野戦築城への恐怖は、武田軍の将兵の中にトラウマのように残った。天正八年（１５８０）、徳川軍は武田の居城である遠江の高天神城を包囲した。この時の武田軍の対応について、『甲陽軍鑑』勝頼記品第五十五に記載されている。秋の末に高天神城の城番から小身の者までが連判した書状が甲府に届けられ、勝頼に救援を求める内容があった。しかし、高天神城の守将であった原虎胤の孫の横田尹松《ただとし》（甚五郎）は別便の飛脚を送り、勝頼の救援は必要ないと進言している。その理由として、戦闘になれば敵は長篠のように柵をつけ、掘割を作り、土手を築くに違いなく、それにかまわず出陣すると家康軍に信長の軍勢が２万、３万といった規模で加わり、勝頼の救援軍の背後を断ち切るであろうからと説明が加えられていた。それゆえ、軍略を誤って勝頼の威光が失墜してはならず、高天神城を見捨てるべきだというのだ。横田尹松の進言の中では鉄砲については触れられておらず、野戦築城ばかりが語られている。設楽が原での馬防柵にいかに苦しめられたか、武田軍の中で語り継がれた証左といえる。[15]

▼気象に左右されない戦術

「予報が外れて雷雨になったため、せっかくのバーベキュー大会が台無しになった」「梅雨でいつもの年に比べて日照時間が極端に短くなって、家庭菜園の作物が育たない」……こうした悩みはわたしたちの日々の会話の端々で聞こえてくる。気まぐれな天気によって、日常生活は大なり小なり影響を受けていることか。今日明日といった短い時間軸での天気の変化から数週間数カ月にわたる長い期間の天候の変動に対して、わたしたちは悩まされることなく自由になりたいという思いを心のどこかで持っているのだ。

１９８８年に完成した東京ドームは日本で最初の屋根付き球場として画期的なものであった。降水量が多い梅雨期だけでなく、夏には熱雷によりゲリラ豪雨が発生するという日本の特徴的な雨の降り方への対策となったからだ。それまで雨天で試合中止になると弁当などは大量廃棄せざるを得なかったが、こうした損害からも解放された。屋根付き球場の始祖は１９６５年のヒューストンのアストロドームだが、これはアメリカ南部で起きる熱波への対策によるものであった。日本の場合は雨天対策であり、その後プロ野球球団の本拠地の多くで採用されてきた。

アメリカの中西部にあたるグレートプレーンズでの農業は、「気象に左右されない農業」といわれている。ロッキー山脈東側のモンタナ州・ノースダコタ州からテキサス州にかけては、もともと降水量が少ない地域であったが、日本の総面積を上回る45万平方キロメートルに及ぶ広大なオガララ帯水層の地下水を汲み上げることで草原を農地に変えたのだ。地下水に依存していることから、気圧配置による降水量の多寡が農業生産に大きな影響をもたらすことはないとされている。もっとも、オガララ帯水層の貯水量は毎年わずかずつ減少しており、数百年後には涸れてしまうという懸念も出ている[16]。

長篠の戦いにおいて信長が用意したのは、「天気に左右されない戦術」といったものではないだろうか。設楽が原での決戦の前日、太田牛一が「御賢意」と唸ったのは、砦や馬防柵による野戦築城と大量の鉄砲使用であり、さらに武田軍を圧倒する兵力を動員するという3点セットの戦術であった。こうした複眼的な作戦であれば、決戦当日に雨が降って鉄砲が使えなかったとしても、そのことが直ちに致命傷にはなるまい。武田軍のように騎馬という自身の強みをとことん活かす戦術もある。しかし、信長はそうした賭けを行わず、３つの要素を組み合わせることで「天気に左右されない戦術」を実現したのだ。野戦築城の資材と鉄砲の調達や運搬に加えて大軍の動員となれば、豊かな経済力があってこその戦い方であったといえる。

信長としては、３点セットのいずれかが機能すれば負けないとの発想があったに違いない。武田軍が設楽が原での合戦に出てくれさえすれば、それは実現する。そして実際の戦闘では、偶然ともいえる空梅雨の恩恵を受け、望外の圧勝を引き寄せたのであろう。幸運とは往々にして、準備万端の人物に訪れる。

第3章　異常気象

——桓武天皇が貫徹した二大事業

「天皇徳度高峙。天姿嶷然。不好文華。遠照威徳。自登宸極。勵心政治。内事興作。外攘夷狄。雖当年費。後世頼焉。」

天皇は徳が高く、容姿は高く抜きんでており、華やいだものを好まず、遠方まで威厳と徳を及ぼした。即位すると、政治に心から励まれ、国内で遷都を行い、外の蝦夷《えみし》を征討した。当初は大きな財政負担となったが、後の世はこの恩恵に頼った。

『日本後紀』大同元年四月庚子「桓武天皇薨伝[1]」

㈠天智系への皇統の回帰

▼光仁天皇の即位

神護景雲四年（７７０）八月四日、称徳天皇（孝謙天皇の重祚）が53歳で崩御した。称徳天皇は聖武天皇と光明皇后の皇女であり、天武天皇から文武天皇の流れを汲む血筋を持つだけでなく、藤原不比等と県犬養橘三千代の娘を母に持つという強い後ろ盾に支えられていた。称徳天皇には子供がおらず、崩御したときに皇太子はいなかった。

『続日本紀』によれば、崩御の日に政権の要人が禁中に集まり、後継天皇となる皇太子について策を練ったという。集まった要人とは、左大臣・従一位の藤原永手《ながて》、右大臣・正二位の吉備真備《まきび》、参議・兵部卿・従三位の藤原良継《よしつぐ》（宿奈麻呂）、参議・民部卿・従三位の石上宅嗣《やかつぐ》、近衛大将・従三位の藤原蔵下麻呂らであり、藤原永手が称徳天皇の宣命として白壁王を皇太子に立てると伝えた。白壁王は天智天皇の孫であり、称徳天皇の死後直ちに立太子し、十月一日に光仁天皇として即位した。しかし、ことはそう簡単ではなかった。

興味深いことに、『日本紀略』には白壁王が皇太子に立った経緯について、「藤原百川伝《ももかわ》」として『続日本紀』よりも詳しく記されている。もともと『日本紀略』は『日本書紀』以降の六国史を抄出したものであるが、これはどういうことなのか。おそらく『日本紀略』が依拠したのは原『続日本紀』とでもいうべきもので、現存している『続日本紀』はそれより新しい版なのだろう。何となれば、『日本紀略』には光仁・桓武以降の天智系の皇統にとってはやや都合の悪い内容が書かれているからだ。皇位継承の以下の経緯については、桓武天皇の晩年に改められた現在の版では削除されたとみる論考がある。[2]

後継の天皇の候補として、3人の名前が挙がっていた。

年齢順にいえば、まず天武天皇の孫で長親王の子の文室浄三《ふんやのきよみ》（78歳）がいた。智努《ちぬ》王という名の皇族であったが、天平勝宝4年（752）に60歳で文室真人姓を受けて臣籍降下した。天平宝字八年（764）正月に従二位に叙されたものの、同年九月に引退していた。

次に浄三の弟の文室大市《おおち》（67歳）で、彼も大市王と名乗っていたが、浄三と同時に臣籍降下した。従三位で参議の職にあり、称徳天皇崩御に際しては御装束司《みかざりのつかさ》20人の筆頭に名前がある。

三番目が天智天皇の孫で、志貴皇子《しきのみこ》の子の白壁王（62歳）であった。天平神護二年（766）に正三位の大納言に昇進していた。公卿としては文室大市よりも上席である。白壁王は聖武天皇の第一皇女の井上《いのえ》内親王（母は県犬養広刀自）と結婚し、2人の間には天平宝字五年（761）に他戸《おさべ》王が生まれていた。

吉備真備は天武系で年長の文室浄三を推した。この時、藤原百川は従弟で左大臣の藤原永手と兄で参議の藤原良継と組み、浄三には子供が12人もいることから皇嗣が混乱すると反対した。真備は納得せず浄三の立太子を主張したものの、浄三自身が辞退した。すると真備は次に大市を擁立しようとする。しかし、大市もまた辞退した。文室兄弟は殺害されることを危惧したのだ。宝亀十一年（780）十一月二十八日の大市の薨伝には、「天平勝宝（749〜757）以後、皇族やその一族で罪に陥る者が多かったが、大市は僧となり自らの安全を図った」とある。この機会を捉えた百川は永手と良継とともに策を弄し、称徳天皇の「偽りの宣命」を持ち出して白壁王を推挙した。宮廷の庭に宣命が立てられ、真備は「舌を巻き、如何とも無し」と嘆いたという。

3人の候補者についての議論は、天武系へのこだわりと天智系への回帰という対立軸のようにみえるが、白壁王は妥協の産物でもあった。井上内親王は聖武天皇の第一皇女であり、白壁王との子の他戸王が皇統を継げば、彼は天智天皇の男系天皇であり、天武天皇の女系天皇ともいえるからだ。62歳という白壁王の年齢からすれば、当時の政府要人の多くが近い将来に皇位が他戸王に継承されると考えたとしても、不思議ではなかった。[3]

▼井上内親王の廃后、他戸親王の廃太子

『続日本紀』巻三十一は光仁天皇の略歴から始まる。天平勝宝以降、皇位継承者が決まらなかったゆえ、人々は疑い、罪し廃される者が多かったとし、そうした中で白壁王は用心し、あるいは酒を欲しいままに飲んで凡庸を装い、たびたび害を逃れたと綴られている。光仁天皇は皇位継承者としての立場を意識し、慎重に事に接していたことがうかがえる。文室兄弟と同様、白壁王も命がけの日々にあることを自覚していたのだ。[4]

神護景雲四年十月一日、光仁天皇として即位し、宝亀と改元された。この日に即位の功労者である左大臣の藤原永手を従一位から正一位に、藤原良継を正三位に、藤原百川を従四位上から正四位上に引き上げた。また、皇位継承のライバルであった文室大市も正三位から従二位へと引き上げて配慮し

ている。吉備真備は十月八日に辞職した。

翌年の宝亀二年（７７１）正月二十三日に他戸王は皇太子に立ち、他戸親王となる。ここまでは光仁天皇即位の際の既定方針通りであったろう。しかし、翌月二十二日に光仁天皇即位の立役者であった藤原永手が58歳で死ぬ。その死に接した光仁天皇は、「道鏡が称徳天皇の位を嗣ぐという非望を抱きはじめていた」のに対し、「方策を定めて、ついに国家を安定させたことについて、大臣は非常に大きなものがあった」と称え、「悔しい、悲しい」と惜別の辞を送った。とはいえ、この死は光仁天皇が永手のしがらみから自由になることを意味していた。永手が藤原北家であるのに対し、良継と百川は藤原式家であり、式家が次の代の天皇を画策することになる。

宝亀三年（７７２）三月二日、皇后の井上内親王は光仁天皇の姉である難波《なにわ》内親王への呪詛に連座し、皇后の地位を廃された。五月二十七日、皇嗣と定めた皇太子が謀反・大逆の子であったとしたら公卿たちはどう思うかとの理由により、他戸親王を皇太子から廃して庶人とした。翌年の宝亀四年（７７３）十月十九日、井上内親王は再び難波内親王を呪詛したとされ、他戸親王とともに大和国宇智郡の邸宅に幽閉の身になる。そして、２人は宝亀六年四月二十七日に揃って薨去している。自殺か謀殺かと疑われるものだ。

▼山部親王の立太子

宝亀四年正月二日、他戸親王に代わって皇太子として立てられたのが中務卿《なかつかさ》で37歳の山部親王であった。皇太子の候補として他に適任者がいなかったという面があるが、山部親王の立太子は過去に例のないものであった。何となれば、天皇に即位するにあたっては父系が天皇であるだけでなく、母系の社会的地位も重要であったからだ。

天皇の母系をみると、飛鳥時代には蘇我氏、奈良時代に聖武天皇母の藤原宮子や称徳天皇母の光明皇后といった藤原氏の出身者がいるが、いずれもその時代に揺るぎない地位を築いていた氏族の女性に限られていた。ところが、山部王の母は光仁天皇の夫人の高野新笠《たかののにいがさ》であり、その出自は百済系渡来人であった。「夫人」という地位も、皇后、妃に次ぐ三番目にすぎない。実家は和《やまと》氏という百済系でも下級氏族で、山部王の母は山部親王の立太子に合わせて和氏から高野氏に苗字を変えている。平成十三年の天皇陛下（現・上皇陛下）の言葉として、「私自身としては、桓武天皇の生母が百済の武寧王の子孫であると、続日本紀に記されていることに、韓国とのゆかりを感じています」と述べられたものがあるが、この故事に由来するものだ。[5][6]

『公卿補任』には、藤原百川は山部親王と光仁天皇の即位以前から親しく、数々の奇計によって他戸王を廃し、山部親王が皇太子に立つことを実現したと書かれている。百川は、光仁天皇から桓武天皇への皇位継承という構想を、称徳天皇崩御の時点から抱いていたのだ。後年、桓武天皇は百川の子の藤原緒嗣《おつぐ》に向かって涙を流すことを抑えきれず、「あたなの父がいなければ、私が帝位に就くことはなかった」と語っている。[7]

(二)三十八年戦争の開始

▼蝦夷《えみし》の世界

『続日本紀』には光仁天皇の治世3年目にあたる宝亀三年正月元旦、陸奥国・出羽国の蝦夷は渤海国の蕃客とともに大極殿で儀礼に従って拝賀を行ったと書かれている。十六日に彼らは郷里に帰るに際して、地位に応じて位階と物を賜った。奈良を拠点とするヤマト王権から大和朝廷、そして律令制に至る国家側は、蝦夷にどう対処してきたのだろうか。

まずは、弥生時代以降という長い時間軸から蝦夷の社会の展開をみてみたい。考古学的な知見によれば、水田稲作は紀元前10世紀頃に朝鮮半島から九州北部に伝播し、その後は瀬戸内海沿岸、関西地方を経て、紀元前6世紀には北陸地方に伝わった。そして、日本海側を北上する船で伝播し、青森県弘前市の砂沢遺跡や南津軽郡の垂柳遺跡では紀元前5世紀の水田跡が発見されている。水田稲作は青森県北部から太平洋側を南下し、紀元前4世紀に現在の八戸市や仙台市、そして紀元前3世紀にいわき市まで伝わった。紀元前2世紀から紀元前1世紀にかけては、本州全土で水田稲作が行われていたことになる。もっとも、東北地方の場合、水田稲作は食料を得る手段のひとつであって、その割合はさほど高くなかったと考えられており、関東地方以西のような階層化が進んだ農耕社会になったとまではいえない。

続く紀元1世紀から3世紀になると、気候が低温傾向に転じたのを受けて東北地方北部で水田稲作はみられなくなる。代わって北海道由来の続縄文文化と特徴づけられた遺跡ばかりとなり、主食は海産物となった。北海道から続縄文文化の担い手が移住してきたと考えられる。水田稲作の北限は山形から仙台平野を結ぶ緯度まで南下した。その後、6世紀半ばになって温暖化傾向に転じたことと相まって、再び水田稲作が東方地方北部でも復活し始める。これが、大和朝廷が東北地方に進出する前の状況であった[8]。

国家側は磐舟柵《いわふね》（新潟県村上市）、出羽柵（山形県庄内地方、後に秋田県秋田市）、多賀柵（宮城県多賀城市）などを築き、支配地と蝦夷の住む地域の境界を明確に分けたものの、基本的に蝦夷の人々に対して融和的に接した。『日本書紀』には、皇極天皇から持統天皇に至るまで蝦夷の有力者を奈良まで招いて饗応したと記録されている。持統天皇三年（689）七月一日には、蝦夷の僧自得に金銅薬師仏像・観世音菩薩像などを授けた。逆に、文武天皇元年（697）ならびに同二年（698）には、陸奥国の蝦夷が産物を献上している。奈良時代になると、正月の朝賀に蝦夷は薩摩の隼人とともに招かれ、爵位を授与される者もいた。彼らは五十戸一里制の戸籍に記載され公民になった。

一方で、国家側の進出で摩擦も生じた。和銅二年（709）三月五日、「陸奥と越後の蝦夷は野蛮な心があって馴れず、しばしば良民に害を加える」として、関東や北陸の兵を挑発し東山道と北陸道の両方から討伐を行った。また、養老四年（720）九月二十八日、陸奥国から「蝦夷が反乱を起こし、按察使《あぜち》で正五位上の上毛野広人《かみつけのひろひと》が殺害された」と報告された。続いて神亀元年（724）三月二十五日、再び陸奥国からの報告として、「海道の蝦夷が反乱を起こし、大掾《だいじょう》・従六位上佐伯宿禰児屋《さえきすくねこや》麻呂を殺害した」とある。陸奥国には内陸側の「山道」と太平洋沿岸部の「海道」の2つの街道があり、事件は海道で起きた。

これに対して、律令国家側は、式部卿・正四位上の藤原宇合《うまかい》を持節大将軍に任じた。藤原不比等の子で四兄弟のひとりという枢要人物であり、彼を司令官として現地に派遣していることから、国家側が事の重大さを認識していたのがうかがえる。坂東の9カ国の兵士3万人に乗馬・射述・布陣の訓練を行って派遣したとあり、大兵力も用意した。鎮圧は効果的かつ徹底的なものだったのだろう。多賀城の石碑によれば、この年に大野東人《おおののあずまひと》によって多賀柵（城）が創建された。その後の50年間、蝦夷が反乱を起こしたとの記録はなく、平和な時代が続いた。

▼宝亀四年の長雨、宝亀五年の飢饉

古気候学の研究では、樹木の年輪や鍾乳石に含まれる酸素同位体や炭素同位体の比率により過去の気温を推定する試みが盛んである。図3-1は、欧州、北米大陸、カリブ海、アラビア湾、中国などの世界各地から採取された氷床コア、花粉、有孔虫、鍾乳石などの代替資料をまとめて年平均気温の推移を示したものだ。この図でも772年から777年にかけて、1960年から1990年の平均気温と比較して0・4℃以上低い明瞭な低温傾向が表れている。

北半球中緯度に絞った推計では、ユーラシア大陸の山脈地帯から採取した樹木年輪によるものがある。中緯度帯での年輪幅は樹木の生長期にあたる夏（6月から8月）の気温との相関が高く、年平均気温ではなく夏の気温を推計するものが多い。図3-2は、オーストリアのアルプス山脈ならびにロ

図3－1　過去2000年間の北半球の平均気温推移（1960年～1990年の平均値からの偏差）

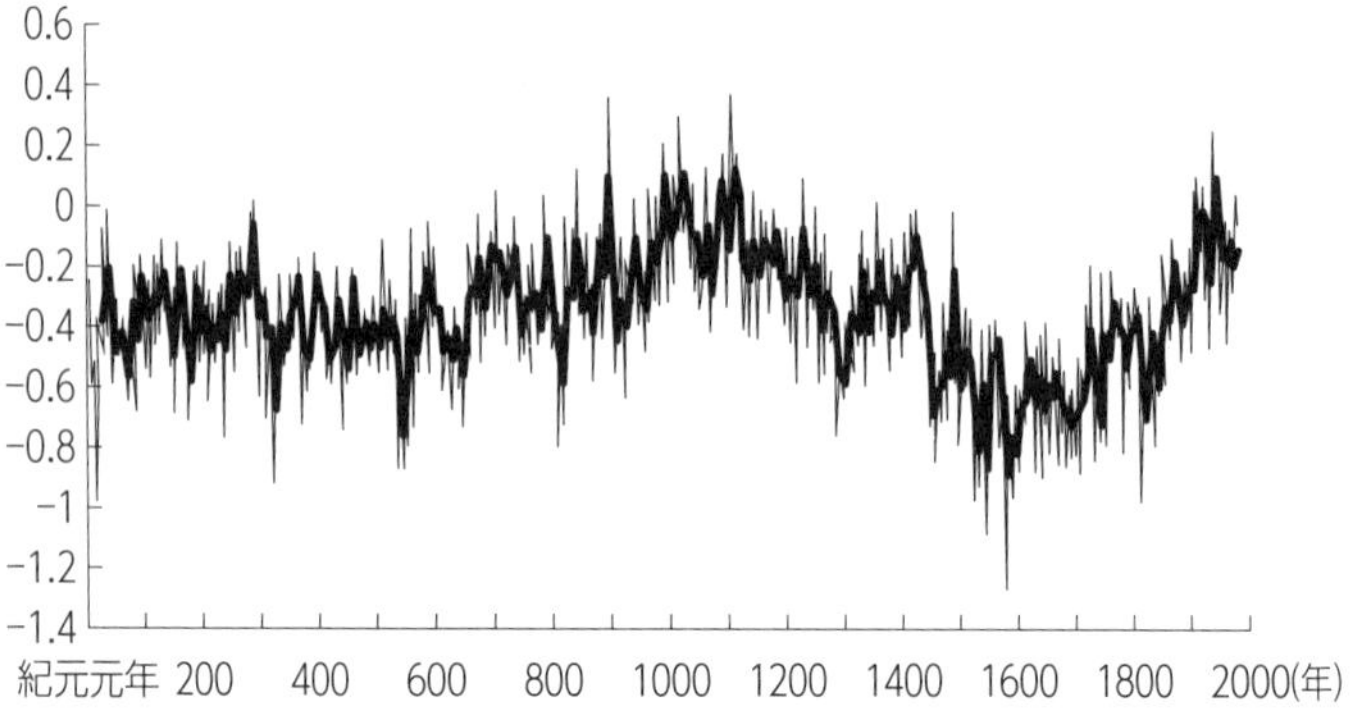

太線　10年平均値
注：気温推移は1979年までのデータによる。
出典：Moberg, et al. (2005) : Highly variable Northern Hemisphere temperatures reconstructed from low-and-high-resolution proxy data. *Nature* **433**, No. 7026, pp. 613-617

シアのアルタイ山脈でのカラマツによる夏の気温の推定である。２つの地域での気温の推移をみると、７５０年代からの20年間は高温傾向であったのに対し、オーストリアのアルプス山脈では７７２年以降、ロシアのアルタイ山脈では７７０年以降に低温傾向になったことがわかる。

日本の気候においても同様の傾向がみられるだろうか。古気候学による奈良時代の気温推計の知見はないため、文献記録で確認してみたい。ちょうど光仁天皇の即位前後の時代であり、『続日本紀』に書かれた天候とそれに伴う飢饉の記録は次のようになる。

神護景雲四年（７７０）では、六月八日に志摩国で台風（大風）、同月十四日に美濃国で長雨があり、続く七月二十八日に出羽国で雹《ひょう》が降って稲作が損害を受けたとあるだけだ。飢饉の発生については、京師と土佐国で発生しているが、果たして天候のため疫病のためか定かではない。

図３－２　７世紀から９世紀までのアルプス山脈とアルタイ山脈の夏（６月～８月）の平均気温

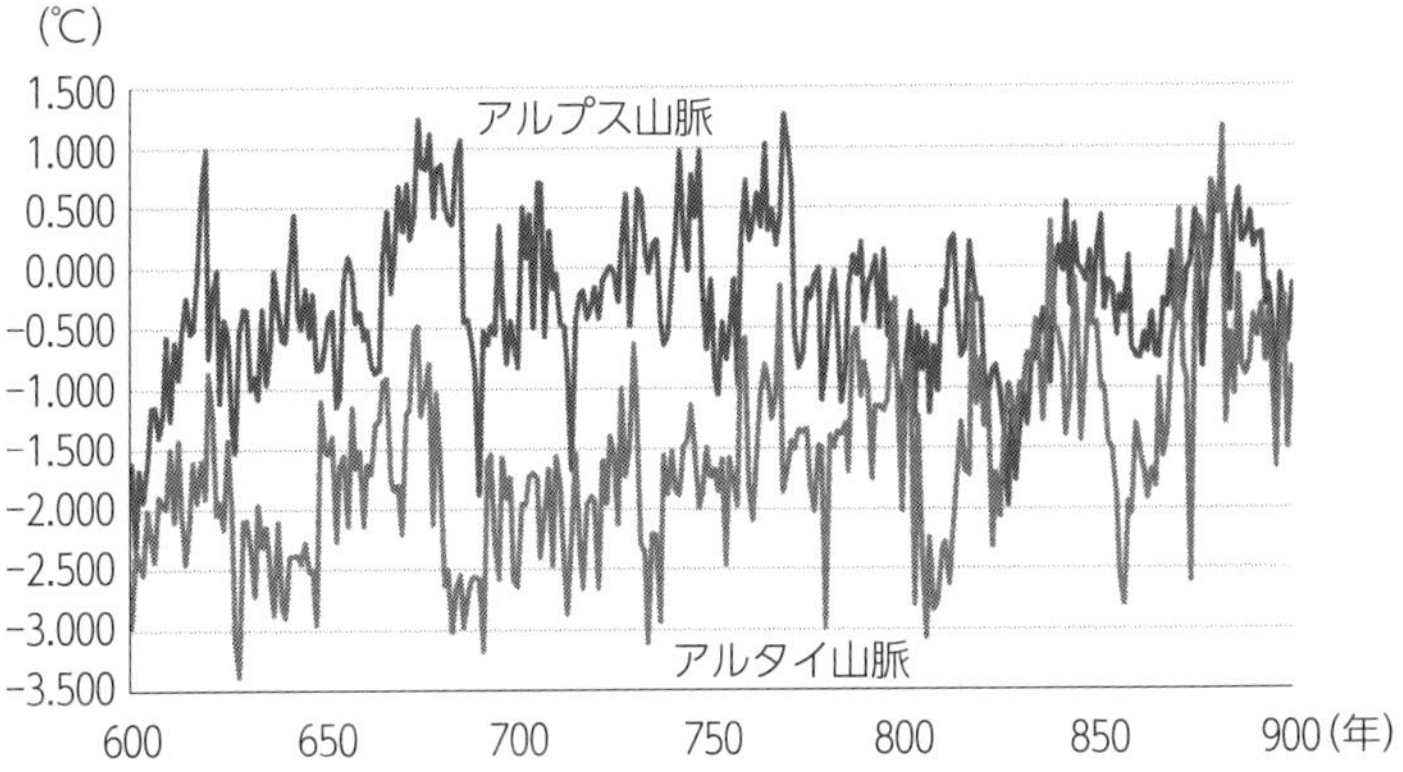

注：1960年～1990年の平均値からの偏差

出典：アメリカ海洋大気庁古気候データベース
Büntgen et al (2016)：Russian Altai and European Alps 2,000 Year Summer Temperature Reconstructions https://www.ncdc.noaa.gov/paleo-search/study/19523

宝亀二年（７７１）には、六月十日に「日照りのため黒毛の馬を丹《に》生《う》川上の神に奉った」とあり水不足を思わせる。とはいえ天候に関する記述はこれだけで、飢饉発生の記述はない。

宝亀三年（７７２）になると、八月一日から雨が続き台風も到来したとし、河内国の堤防が多数決壊したとある。十一月十日には光仁天皇が詔を発し、「天候不順で連年飢饉が続いていることから、仏に助けを求めたい」として全国の国分寺に対して正月からの七日間、吉祥悔過という法会を行うよう指示している。翌日には八月の台風による損害を考慮し、京畿・七道諸国の田租を免除した。

宝亀四年（７７３）では、春に日照りがあったため、四月二十二日に黒毛の馬を丹生川上神社に奉納し、五月一日には幣帛を畿内の神々に奉納したところ、すぐに「嘉《よ》い雨」が降った。ところが、六月二日には「長雨が降り続く」、

西暦	都	和暦	天皇	飢饉（国別延数）
754	平城京	六	孝謙	
755		七		
756		八		
757		天平宝字　元		
758		二	淳仁	
759		三		12
760		四		1
761		五		
762		六		16
763		七		23
764		八		17
765		天平神護　元	称徳（重祚）	33
766		二		6
767		神護景雲　元		4
768		二		1
769		三		2
770		宝亀　元	光仁	3
771		二		1
772		三		1
773		四		7
774		五		15
775		六		6
776		七		
777		八		3
778		九		
779		十		2
780		十一		2

西暦	都	和暦	天皇	飢饉（国別延数）
781	平城京	天応　元	桓武	1
782		延暦　元		4
783		二		
784		三		
785	長岡京	四		7
786		五		
787		六		
788		七		
789		八		8
790		九		39
791		十		4
792		十一		逸文
793		十二		
794		十三		
795	平安京	十四		
796		十五		4
797		十六		11
798		十七		1
799		十八		30
800		十九		
801		二十		
802		二十一		42
803		二十二		
804		二十三		6
805		二十四		5

参考資料
698～791年：『続日本紀』
792～805年：『日本後紀』（逸文について、『日本紀略』『類聚国史』で補った。）

表3－1　『続日本紀』『日本後紀』などに記録された飢饉の国別件数（延べ）

西暦	都	和暦	天皇	飢饉（国別延数）
698	藤原京	文武　二	文武	8
699		三		
700		四		
701		大宝　元		
702		二		8
703		三		
704		慶雲　元		7
705		二		20
706		三		14
707		四		3
708		和銅　元	元明	
709		二		1
710	平城京	三		3
711		四		2
712		五		
713		六		1
714		七		
715		霊亀　元	元正	7
716		二		
717		養老　元		
718		二		
719		三		
720		四		
721		五		
722		六		
723		七		3
724		神亀　元	聖武	
725		二		
726	平城京	三	聖武	
727		四		1
728		五		1
729		天平　元		
730		二		
731		三		
732		四		
733		五		8
734		六		
735		七		
736		八		16
737		九		6
738		十		
739		十一		
740		十二		
741		十三		
742		十四		
743		十五		
744		十六		
745		十七		
746		十八		
747		十九		17
748		二十		4
749		天平勝宝　元	孝謙	2
750		二		1
751		三		
752		四		
753		五		

八月八日に「長雨が続いている」との記載もみられ、夏以降の天候不順を思わせる。おそらく凶作の状況になっていたのだろう。それは翌年の記録からみえてくる。

凶作といってもまったく収穫がない状況は珍しく、秋から年末までは食料がまだ残っているものだ。食料不足が顕在化し、広い地域で飢饉が深刻化するのは、年を越してからだ。この傾向は古代日本だけでない。1789年夏のフランス革命は前年春の干ばつによる凶作が遠因であり、1993年の冷夏による日本の米不足（平成の米騒動）は翌年2月以降に社会問題となった。

宝亀五年（774）においても、二月十三日に京師、同月三十日に尾張国、三月四日に讃岐国、同月七日に大和国、十五日に参河国、二十二日に能登国でそれぞれ飢饉があったため賑給《しんごう》（救援物資の支給）がなされた。続いて、四月二十一日に美濃国、四月二十六日に近江国、五月四日に河内国でも飢饉により同様の措置が取られた。六月には志摩国、伊予国、飛騨国、七月には若狭国、土佐国、尾張国と飢饉は全国に広がり、国家はそのつど賑給を施した。

宝亀六年（775）になると、六月二十五日に日照りのために黒毛の馬を丹生川上神社に奉納し、雲雨を起こす神社に幣帛を奉納とあり、長雨よりも干ばつの様相と受け取れる。飢饉の報告は、二月十一日に讃岐国、五月十一日に備前国、七月五日に参河・信濃・丹後の3カ国、八月五日に和泉国とある。翌年はなく、この年で飢饉は終焉となる。

奈良時代では長雨による飢饉は少なかった。表3-1にある通り、700年代、730年代、760年代にも飢饉発生数は多いが、ほとんどのケースで丹生川上神社に雨乞いの奉納をしており、干ばつによるものと考えられる。ところが、770年代の飢饉はそれ以前と原因が異なっていた。

▼海道蝦夷の蜂起

宝亀五年七月二十三日、光仁天皇は蝦夷に対しての宥和的な政策の変更を指示した。陸奥国按察使《あぜち》で鎮守将軍の大伴駿河麻呂に、断固たる措置を命じている。「今まで征討を行うと民が疲弊するため自重してきたが、蝦狄（日本海側の蝦夷）は野心を改めることなく辺境を侵略しているというのであれば、事態はやむを得ず、軍を発して討滅するように」。

その矢先に蝦夷の反乱が勃発した。七月二十五日に陸奥国司からの報告が届く。「海道蝦夷が突然衆を発して、橋を焼き、道を塞いで往来を遮断し、桃生城《もものうのき》に侵攻し、その西郭を破った。城を守る兵は防ぐことができなかった。国司は軍を興してこれを討った」。

海道蝦夷とは、北上山地の太平洋側の街道に住む部族だ。なぜ、この年に彼らは蜂起したのだろうか。称徳天皇から光仁天皇へ代替わりする中で、蝦夷やその支配地への政策変更が反乱勃発の要因のひとつとして挙げられる。この年の正月の朝堂での饗応に出羽国の蝦夷だけが招かれ、陸奥国の蝦夷の名前はなかった。国家側の蝦夷への政策の変更を思わせるもので、陸奥国の蝦夷の中で不満が高まったとする見方だ。

一方で、七月に反乱が起きたきっかけとして気候要因があったと考えるのはどうだろうか。前年からの長雨の影響は、水田稲作を主業として行う国家側だけではなかっただろう。当時の蝦夷は狩猟採集だけでなく、水田稲作も行っていた。前者を「山夷」、後者を「田夷」と区分していた。低温傾向の中での長雨は、律令国家の農民だけでなく、山夷であれ田夷であれ、彼らの生活も脅かしたに違いない。むしろ、緯度の高い東北地方北部の蝦夷こそ苦境に立たされたはずである。

海道蝦夷の小さな反乱は、陸奥国の山道蝦夷や出羽国の蝦夷を含め、東北地方北部全域での戦争に広がっていった。弘仁二年（811）閏十二月、征夷将軍の文室綿麻呂が「宝亀五年から当年に至るまで、卅八歳」の年月をかけてきたとし、2000人の兵を残して軍を解こうと進言するまで、38年間続く国家と蝦夷との戦時体制の幕開けであった。[9]

▼東北北部全土での戦争

宝亀七年（776）になって、国家側の攻勢は大規模かつ本格化した。大伴駿河麻呂はこの年の二月六日に「来る四月上旬に兵士二万人を発動して、山海二道（陸奥国と出羽国）の賊を討つべし」と上申した。光仁天皇はこれに呼応して勅を発して出羽国の兵士に雄勝の道から出陣させ、陸奥国の西側の賊を討たせた。大伴駿河麻呂は三月四日に死去するが、後を継いだ紀広純《きのひろずみ》が軍事行動を起こした。

海道蝦夷の反乱と何も関わりのない出羽国の蝦夷にしてみれば、青天の霹靂であったろう。五月二日に出羽国志波村の蝦夷が反逆して交戦となった。国家軍は劣勢となったものの、下総国・下野国・常陸国の騎兵を投入して撃退した。出羽国で軍事行動を起こした後、次の射程に陸奥国の山道蝦夷が挙げられた。同年十一月二十六日に、「陸奥国の軍三千人を発動し、胆沢の賊を討（伐）った」と書かれている。この胆沢こそ、山道蝦夷の拠点であり、英雄となる阿弖流為《アテルイ》の住む地域であった。

国家側の決意に対して、蝦夷の社会は混迷を深めていた。果たして律令国家の公民になって生きていくべきか、それとも今まで通りの生活を続けていくべきか。族長であった伊治公呰麻呂《これはりのきみあざまろ》は前者の道を選び紀広純に仕えたが、恨みを隠し媚びるふりをしていたという。また、牡鹿郡の大領で同じ蝦夷出身の道嶋大楯から侮蔑され、「夷俘」として見下げられていた。宝亀十一年（780）三月二十二日、呰麻呂は広純と大楯とともに伊治城に入った際に国家に敵対する蝦夷の軍を誘って反乱を起こし、まず大楯を殺し、広純を囲って殺害した。数日後に賊徒は陸奥国司の拠点である多賀城から兵器や食料を奪い、火を放った。呰麻呂は蝦夷の世界に戻ったのか、その後の消息は途絶えた。

国家側は藤原麻呂以降、陸奥国の按察使に軍事行動を任せていたが、中央から司令官を派遣することとなった。三月二十八日に征討使を中納言の藤原継縄《つぐただ》、征討副使に大伴益立《ましたて》と紀古佐美《こさみ》を任命し、翌日益立に陸奥守を兼任させた。七月二十二日の勅により、坂東の兵士を徴発して九月五日までに陸奥国多賀城に集結させるよう指示した。併せて兵糧として下総国の糒《ほしいい》6000石（斛）と常陸国の糒1万石を八月二十日までに軍営に運ぶように伝えた。糒とは米を炊いた後に乾燥させたもので、携帯食になる。また奈良時代から平安時代にかけての石（斛）は10斗あるいは100升に相当する。九月二十三日に藤原継縄に代えて藤原小黒麻呂を持節征東大使として派遣した。

ところが、蝦夷征討の行動は遅々としたものであった。最大拠点たる多賀城の焼失がその理由のひとつとされるが、同年十月二十九日に光仁天皇は征討使の報告で計画が遅延して征討の時期を逸していると知らされ、不満を隠さなかった。「夏には草が茂っているとし、冬には被（防寒の上着）が足りないと言い、様々な巧みに言い逃れして逗留したままだ」とし、やむなく「もし、今月中に賊の地へ征討できないのなら、多賀城・玉作《たまつくり》城などに逗留し、よく防御を固め、併せて戦術を練るように」と指示するのだった。

翌年、日本史上唯一の元旦の改元で天応となり、四月三日に73歳の光仁天皇が退位した。改元の4カ月後の退位について、東北北部への勢力の拡大が一向に進まないことで、高齢の光仁天皇としては気力が衰えたのかもしれない。太上天皇となった光仁は同年十二月二十三日に崩御する。かくして、蝦夷追討は次の桓武天皇に託された。[10]

(三)辛酉革命で始まる二大事業

▼辛酉年の即位

桓武天皇は天応元年(781)四月三日、光仁天皇の譲位を受け45歳で即位した。この年は辛酉の年であり、中国では王朝が代わる革命の年とされる。桓武天皇は自ら「革命的王朝」だと強く意識しており、延暦四年(785)十一月十日と延暦六年(787)十一月五日に、前々からの祈願に対する礼として交野《かたの》の柏原で天神を祀った。天神祭祀は易姓革命の考え方に連なるものだ。[11]

桓武天皇の即位は当時の貴族から衝撃をもって受け止められた。即位した翌年の天応二年(782)年初に因幡国守で従五位の氷上川継《ひがみのかわつぐ》が謀反を起こし、逃走したものの大和国の葛上郡で捕らえられた。光仁天皇崩御後の喪中ということで伊豆国への配流となった。川継は天武天皇の血を引く新田部親王・塩焼王の系譜にあり、母親も聖武天皇の皇女で井上内親王の妹にあたるゆえ、皇位に即くことが可能な血筋を持つ人物であった。この事件により、天武系の血統は完全に皇統から排除された。

もっとも、川継ひとりで謀反を起こしたわけではなく、桓武天皇の即位に疑問を持つ勢力が存在したのだ。川継を推した貴族として、大宰帥で参議の藤原浜成、左大弁の大伴家持《やかもち》、そして右衛士督の坂上苅田麻呂といった有力者がいた。この時期、桓武天皇の権威はまだ脆弱であった。

桓武天皇は自身の即位の正当性と新王朝の到来を国の内外に示す必要があった。かくして、天武系に由来する平城京からの易姓革命を意識した遷都と、光仁天皇から引き継いだ東北北部への国土拡大に邁進することになる。桓武天皇の行った事業には仏教政策、国史の編纂、法典の整備などもあるが、遷都と征夷こそ車の両輪であった[12]。

光仁天皇と桓武天皇の2人は、それ以外の歴代の天皇と比較してまったく異なる点がある。それは前半生において、皇位継承権を持つ皇族というよりも実務官僚として過ごしたことだ。称徳天皇が崩御したとき、光仁天皇となる白壁王は正三位の大納言で序列ナンバー3であり、桓武天皇となる山部王は従四位下の大学頭に就いてた。大学頭とは式部省のもとでの官僚養成機関の学長のような職種であり、教育や試験を所管した。桓武天皇が学者や秀才の組織を束ねる職に就いていたことは、実務能力に長じていたことを裏づけるものだ。

奈良時代以降において、光仁天皇と桓武天皇以外にこのような経歴を持つ天皇はいない。宇多天皇（在位：887〜897）は18歳の折に臣籍降下して源《みなもとの》定省《さだみ》と名乗り、陽成天皇の王侍従となっている。とはいえ21歳で皇太子に立ち、直後に即位しており、官僚組織での出世の階段を上ったわけではない。光仁天皇と桓武天皇の2人は部下の報告文を熟読し、その裏まで探る能力と経験を体得していた。

また、光仁天皇と桓武天皇を即位に導いた立役者である北家の藤原永手、南家の縄麻呂《ただまろ》、式家の良継、蔵下麻呂、百川、種継らが長命であったなら、桓武天皇は彼らの傀儡になったかもしれない。しかし、桓武天皇の即位を導いた者たちは、有力者の地位を築いても、数年で病死あるいは不慮の事故で死んでいった。延暦二年（783）以降は太政大臣や左大臣を置かず、老臣を右大臣に据えただけで、中納言以下の実務担当者については自らの眼力で若手を登用した。政治中枢では菅野真道（津真道）や藤原緒嗣、軍事では坂上田村麻呂、仏教では最澄が代表的な例だ。その意味で、桓武天皇は絶対君主のような性格を帯びていた。

▼長岡京遷都

延暦元年（782）四月十一日に平城宮の造営修理を担当する造営省を廃止した。表向きは倹約のためと説明がつけられたが、実際は新都建設に向けて舵を切った決断であった。延暦二年十月十四日から十六日にかけて鷹狩のため交野《かたの》に行幸した際、淀川の彼岸にある長岡の地を眺めたのだろう。延暦三年五月十六日、中納言の職にある正三位の藤原小黒麻呂と従三位の藤原種継、左代弁の従三位の佐伯久良麻呂らを山背国に派遣し、乙訓《おとくに》郡長岡《ながおか》村の地を視察させた。六月十日には、藤原種継や佐伯今毛人《いまえみし》ら11名と六位の官人8名を造長岡宮使に任命し、長岡京の建設が開始された。そのわずか5カ月後の十一月十一日に早くも桓武天皇は平城宮から長岡宮に移り、遷都が実現した。桓武天皇が延暦三年の遷都にこだわった理由として、この年が甲子の年であったことがあるとされる。辛酉が革命の年であるのに対して4年後の甲子は革令の年であり、革命で天命（天皇）が革《あらた》められ、革令で政令（政府の姿）が革められるとされたからだ。[13]

慌ただしい遷都ゆえ、長岡宮を中心に造営は続いた。延暦四年七月二十日の勅の中で、造営のために全国から人夫が雇われ、その総数は31万4000人にのぼった。当時の国家掌握人口は老若男女合わせて600万人程度と推定されており、造営のための要員はおよそ5％にあたる。

この地を新都に選んだ理由として、「朕、水陸之便を以て、茲《こ》の邑に遷都す」（『続日本紀』延暦六年十月八日）、「水陸の便有り、都を長岡に建つ」（『続日本紀』延暦七年九月二十六日）とあるように地理的な利点を強調している。一方で山背国は長く渡来系の秦氏が開拓を行った地であり、都の選定にあたって派遣された小黒麻呂の妻は秦下嶋麻呂の娘、種継の母は秦朝元の娘であった。そして、桓武天皇の母の高野新笠も出自が百済系渡来人であり、長岡京建設については秦氏の深い関与が示唆される。

▼第一次征討（延暦八年）

もうひとつの大きな事業である東北北部への国土の拡大について、延暦三年二月に老齢の大伴家持を征東将軍に任命したものの、何の実績もなく家持の死によって中断していた。延暦七年（788）から、桓武天皇は国を挙げての蝦夷征討に着手した。三月二日に陸奥国に対して軍粮3万5000石を多賀城に集めるよう陸奥国に命じ、さらに七月までに東海道・東山道・北陸道の各国には糒2万3000石と塩を陸奥国に送るように命じた。これらは翌年の蝦夷征討での軍粮としての調達であった。続く三日には、東海道・東山道・坂東の諸国に対して歩兵騎兵合わせて5万2800人を翌年三月までに多賀城に集めるよう指示した。人事面でも同月二十一日に、多治比浜成・佐伯葛城・入間広成を征討副使とした。続けて七月六日には紀古佐美を征討大使に任じ、十二月七日に別れの挨拶に来た際に桓武天皇は長岡京で昇殿させ、節刀を授け、遠征の成功を祈って夜具二領・色染めの絹三十疋、真綿三百屯を与えた。

延暦八年早々には大規模な軍事行動が展開される予定であった。ところが、桓武天皇はその遅さに苛立った。五月十二日に「衣川に駐留しながら30日余りも前進しないのはどうしたことか。六月七月になれば暑くなってしまう。一カ所に集まって兵糧を費やしている」とし、その理由と賊軍の消息についての報告を求めた。

すると六月三日、桓武天皇のもとに悪夢のような敗戦の報せが届いた。副将軍の入間広成と左中軍別将の池田真枚《まひら》は前軍別将の安倍墨縄《すみただ》らと協議して作戦を立てた。三軍（前・中・後）のうちの中軍と後軍の各2000人は一団となって北上川を渡河し、東岸を北上しながら賊の首領たる阿弖流為の居場所に前進した。ここで蝦夷300人ほどとの間で戦闘となり、官軍の勢いは強く蝦夷を退却させ、村々を焼き払いながら巣伏村に着いた。この地が北上川西岸を進んだ前軍との合流地点であった。ところが、前軍が合流すべく渡河を図ると蝦夷の軍勢に阻まれた。一方で中軍と後軍には蝦夷の新手800人が戦闘を仕掛け、「その力太《はなは》だ強くして」官軍は後退し、さらに400人の敵が東の山から出てきて挟み撃ちにあった。追い詰められ将軍や下士官は戦死し、合計で戦死者25人、矢による負傷者245人、溺死者1036人という完敗であった。勝利者の阿弖流為は英雄として歴史に名を残すことになる。桓武天皇は報告を聞くなり、胆沢から奥地まで攻め入るならば「軍監」以上が兵を率いて形勢を整えるところなのに、指揮官の身分が低く、そこで攻撃して大敗するとは何事かと詰《なじ》った。

六月九日になると、征討将軍の紀古佐美は軍勢を解きたいと奏上してきた。賊徒の中心たる胆沢の地を征討したものの残党が潜伏しているとし、ここから先の子波（盛岡市）などに軍を進めるには玉造柵からの兵糧の運搬が困難であり、このままでも軍士は1日に2000石と膨大な食料を消費していることから、十日をもって征討軍を解散させたいというものであった。桓武天皇はこの奏状に激怒した。「前進もせずに一旦戦争を止めるとの将軍の策のどこに道理があるのか。ようやくわかった。将軍らは凶賊を恐れて逗留していたためだ。うわべだけの言葉で罪や過失を逃れようとしており、甚だしく不忠である」。

結局、桓武天皇は紀古佐美らの帰京を許したものの、大納言・従二位の藤原継縄や中納言・正三位の藤原小黒麻呂に征東将軍らの行動を調査させた。九月十九日に大将軍の紀古佐美、副将軍の入間広成、鎮守副将軍の池田真枚と安倍墨縄らの4人に対して敗戦の責任が追及され、全員が承服した。桓武天皇の宣命体の詔は以下のものであった。大将軍の紀古佐美については、賜りし元の謀《はかりごと》には従わず奥地を極めずに敗戦し兵糧だけを費やして帰還したことを問いただすべきであるが、以前から仕えていることから罪を問わず赦す。鎮守副将軍の池田真枚と安倍墨縄に対しては、愚かで頑なで、しかも臆病で拙いため軍隊の進退の度を失い、戦いの時期を失ったとして責任を取らせた。そして、真枚は「日上《ひかみ》の湊」で溺れた兵士を救助した功労により、位階の剝奪は赦し官職のみの解任とした。墨縄は斬刑に値するところ長く辺境の守備に従事してきたことからそれを赦し、官職および位階の剝奪とした。入間広成の処分についての記録は残っていない。

㈣政権運営に暗雲

▼干ばつによる日本全土での大飢饉

時を空けず延暦九年（790）に、桓武天皇は再び征討の準備を指示した。閏三月四日、諸国に革の甲《よろい》を2000造らせるとし、東海道では駿河国より東、東山道では信濃国寄りの国別に数を割り付け、3年以内に完成させるよう勅を発した。同月二十九日には、東海道では相模国以東、東山道では上野国より以東に対し、兵糧となる糒14万石を乾した形で用意するよう求めた。七月六日には、紀古佐美を征東大使に任命した。

ところが延暦八年から九年にかけて、日本全土で飢饉が発生していたのだ（表3-1）。宝亀四年から六年以来の大飢饉となる。『続日本紀』によれば、延暦八年は四月に伊賀国で「飢饉により賑給」とあるのを皮切りに8つの国で飢饉に対して救援物資の支給が行われた。飢饉の理由について書かれていない。延暦九年になると、「飢饉による賑給」は参河国、遠江国以西を中心に30カ国で実施された。延暦四年と異なり、「五畿内に使者を遣わして諸神に祈雨させせた」（延暦九年五月二十一日）、「先月より炎旱が続き、公氏ともに損害を受けたので、天皇の詔により畿内の名神に奉幣し、良い雨を祈った」（同月二十九日）と干ばつの様相がみられる。図3-1および図3-2では極端な変化はみられないが、北半球全域とアルプス山脈ではやや高温傾向、アルタイ山脈では７８９年はやや高温、７９０年はやや低温となっている。

飢饉を報告することで賑給を受けた国の中に、上野国が挙げられていることに注目したい。桓武天皇が糒14万石の用意を求めたのは東山道の上野国以東なので、下野国、武蔵国、陸奥国が対象となる。救援物資を受けた上野国だけが飢饉だったとは考えにくい。それ以外の国々でも農業生産が低下したであろうし、果たして兵糧を集める余力があっただろうか。

延暦十年（７９１）正月十八日に入ってから、兵士ならびに武具の状況を確認するため、正五位上の百済王俊哲《しゅんてつ》と従五位下の坂上田村麻呂が東海道に、そして従五位下の藤原真鷲《まわし》が東山道に派遣された。記録上、坂上田村麻呂が蝦夷征討に関わる初見である。この時、田村麻呂は34歳であった。彼らは前年まで続いた飢饉を受けての征討準備について、その状況を確認したのだろう。七月二十日になると、蝦夷征討の司令官人事も発せられた。征夷大使が従四位下の大伴弟麻呂《おとまろ》、征夷副使が従五位上の百済王俊哲と多治比浜成ならびに従五位下の坂上田村麻呂と巨勢野足《のたり》となった。

十一月三日、坂東諸国にさらに仰せがあったとして、兵糧の糒12万石を準備させた。前年にも糒14万石を用意するよう求めており、合計で糒26万石の徴集があったとする見方がある。しかし、第二次征討の兵士数は歩兵・騎兵を合わせて10万人であり、26万石もの糒は必要だろうか。1人あたりの米の年間消費量は、雑穀や副食品により違いはあろうが、おおむね1石とみていい[14]。

東北北部での軍事行動が春から秋までとすれば、第一次征討での実働兵力約4万人に対して米と糒合わせて5万８０００石は妥当といえるもので、第二次征討の兵力10万人に対して糒26万石というの

表3－2　蝦夷征討の兵力と兵糧

	兵力（歩兵・騎兵）	兵糧などの準備指示
第一次遠征 （延暦八年）	52,800（計画） 39,910（実際）	3万5000石（米？：延暦七年三月） 糒2万3000石（延暦七年三月）
第二次遠征 （延暦十三年）	100,000	甲2000（延暦九年閏三月） 糒14万石（延暦九年閏三月） 糒12万石（延暦十年十一月）
第三次遠征 （延暦二十年）	40,000	（記録なし）
第四次遠征 （実施せず）		糒1万4315石（延暦二十三年一月十九日） 米9645石（延暦二十三年一月十九日）

出典：『続日本紀』延暦七年三月二日・三日、延暦八年六月九日、延暦九年閏三月四日・二十九日、延暦十年十一月三日
『日本後紀』延暦二十三年正月十九日、弘仁二年五月十九日

はいかにも過大だ（表3－2）。延暦九年閏三月の糒14万石を集めよとの指示は飢饉の中で未達となり、百済王俊哲や坂上田村麻呂らが実地に精査したと思われる。延暦十年十月二十五日に東海道ならびに東山道の諸国に戦闘用の矢3万4500ほどを作らせ、これに合わせて十一月三日に改めて準備すべき兵糧の数字をもう一度固めたのではないだろうか。軍事行動が可能かどうかは、これらの指示通りに戦闘用具と兵糧が集まるか否かが大きなポイントであったろう。延暦十年末の段階では、第二次征討の時期は依然として不透明であった。

▼早良親王の祟り

加えて内政面でも不穏な空気が増していた。延暦四年九月二十三日、長岡京への遷都を建議した藤原種継が賊によって弓矢で殺害された。翌日に首謀者として大伴継人・大伴竹良らが捕らえられ、彼らも罪を認めたため、斬首あるいは配流となった。2人が仕えてい

た皇太子の早良《さわら》親王にも嫌疑がかけられた。『日本紀略』によれば、早良親王は二十八日に東宮から乙訓寺に移され、10日余り飲食をせず、さらに淡路への船で輸送される間に絶命した。

長岡京の造営は遅れた。延暦六年十月八日の詔では、遷都により住民は騒然としているため、乙訓郡の出挙の延暦三年以来の未納分を減免するとした。また、延暦七年九月二十六日の詔では、「水陸の便がいい長岡に都を立てたものの、長岡宮はいまだ完成せず、建設の作業は増え続け、徴発された人々は大変苦しんでいる」と状況の厳しさを伝えた。そして今度も、稲を貸し付ける出挙の利息を5分の3に下げるとの措置を取っている。

さらに、桓武天皇の周りの女性の死が相次いだ。延暦七年五月に夫人の藤原旅子、延暦八年十二月に生母の高野新笠、延暦九年閏三月に皇后の藤原乙牟漏《おとむろ》がこの世を去った。乙牟漏の死の6日後、桓武天皇は詔を発し、「国家の悲しみごとが相次いで起こり、天災や地変も収まらない。禍を転じて福と為すためには徳ある政治が先ずあるべき」とし、大赦を行い、延暦三年以前の税の未納分を免除した。

同年九月三日、早良親王が廃された後に皇太子となった桓武天皇の長男である安殿《あて》親王の健康状態がよくなく、京内七寺で読経が行われた。翌年十月になっても安殿親王は病がなかなか回復せず、病気平癒の祈禱のために伊勢神宮に向かった。次の年の延暦十一年六月十日に長患いの理由を卜《うらな》うと、早良親王の祟りとされた。そこで諸陵《しょりょうの》頭《かみ》の調《つきの》使《つかい》王《おう》らを淡路国に派遣し、その霊に謝罪した。

▼長岡京を襲った自然災害

長岡京造営は、延暦三年六月から延暦五年（786）七月頃までの前期と、延暦七年九月から延暦十年九月までの後期に分けることができる。前期は難波宮の移建で進められており、平城京を拠点とする抵抗勢力への配慮と考えられている。延暦八年二月になってから内裏が西宮から東宮へと移っており、仮住まいから本格的な整備が始まったことを意味している。さらに延暦十年九月、諸国に対して平城京の諸門を解体し長岡宮へ移築するよう命じており、平城京に残っていた貴族の遷都に向けた合意形成も進んでいた。[15]

ところが、延暦十一年（792）六月二十二日に「雷雨があり、大雨で水が溢れだし、式部省の南門が倒壊」という自然災害が起きた。八月八日にも大雨で洪水となり、翌々日に桓武天皇は桂川西岸で丘陵となっている赤日埼《あかひざき》（京都市伏見区羽東師古川町赤井前）まで行幸し、洪水の状況を視察した。

豊臣秀吉による宇治川の河川改修より以前には、琵琶湖から流れる宇治川と京都市西部を通る桂川、そして三重県から北に向かう木津川の合流地点に大きな巨椋池《おぐらいけ》があった（図3-3）。池といっても面積が約8平方キロメートルあったとされ、長岡京はその北西近傍に位置する。長岡京での大雨による洪水とは、この巨椋池が氾濫したものであったろう。湖（池）の氾濫は、河川の氾濫よりも水が引くのが遅れる。平安京でも鴨川の洪水が起きたが、長岡京での巨椋池の氾濫は復旧にはるかに長い時間がかかったに違いない。長岡京の利点とされていた水利の便の良さが仇となってしまったのだ。[16]

今日用いられている異常気象とは、30年に1度程度の稀なものと定義されている。もちろん、人間の一生は30年よりもはるかに長い。しかし、古い記憶となると薄れるか、あるいは過度に強調されて頭に入っているか、いずれにせよその内容は曖昧になる。それゆえ、「異常」という言葉には、生まれて初めてみる極端な気象現象という意味が込められている。長岡京の時代はひとりの人生は現代よりも短い。当時の多くの人々にとって、巨椋池の氾濫による長岡京の洪水は初めてみる自然の猛威であったろう。

図3－3　長岡京と巨椋池

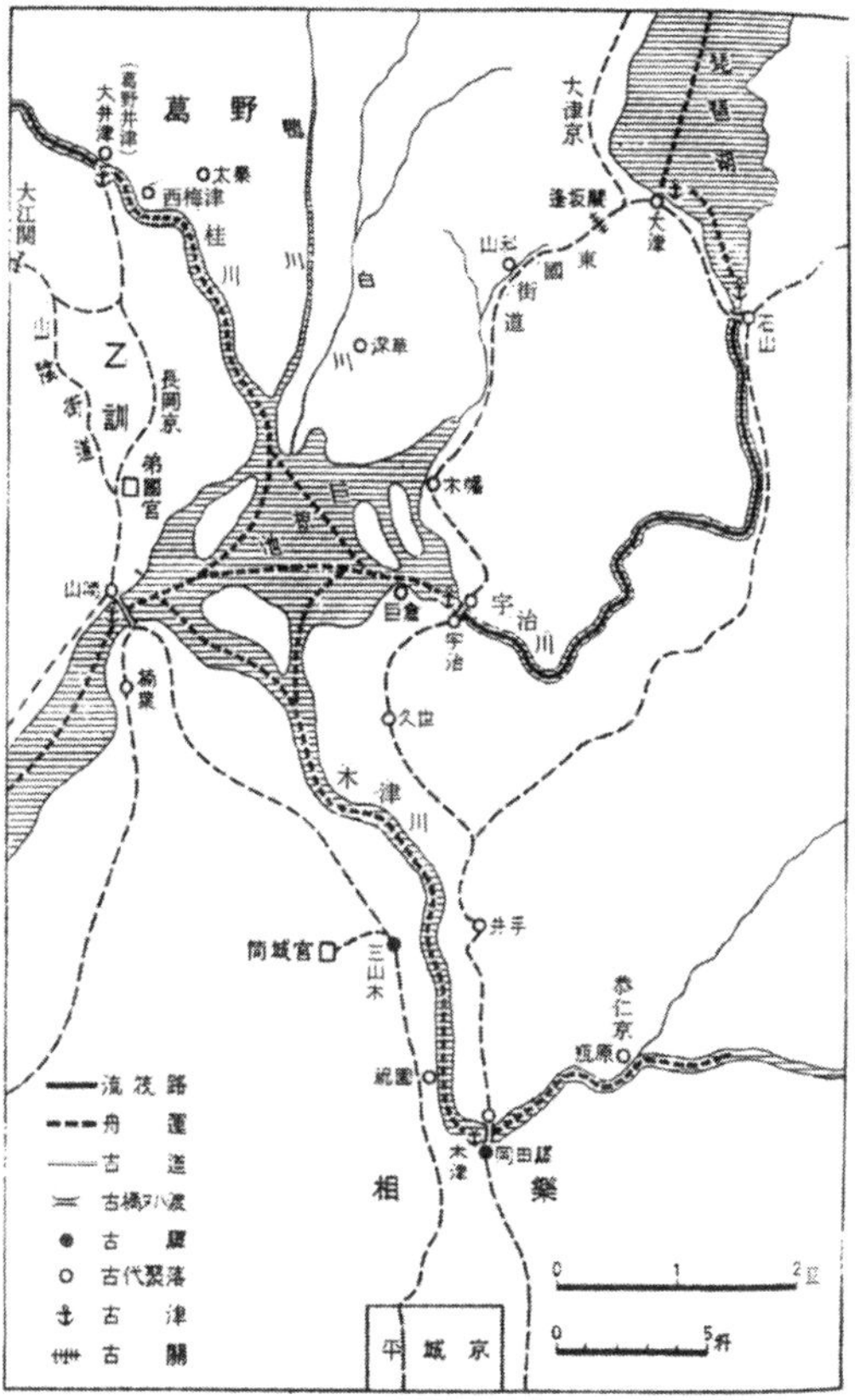

出典：松浦茂樹（1993）：古代の宮都の移転と河川．*水利科学* 211
（原図は、巨椋池土地改良区（1962）：『巨椋池干拓誌』）

▼長岡京廃都の理由：畏怖説と洪水説

長岡京が10年で放棄された理由としては、早良親王の祟りに対する畏怖による説と、延暦十一年六月と八月の2度の大雨洪水によるとする説が代表的なものだ。その他には地形的な制約から造成の完成が遅れたことに着目する説もある。ただし、造成に時間がかかるというなら、後にみるように平安京においても遷都後10年を経た延暦24年（805）において造営が続けられ莫大な費用がかかっていることが問題視されており、長岡京に限ったことではない。

それでは畏怖説と洪水説についてだが、双方とも難点がある。

畏怖説については、桓武天皇は確かに延暦十一年に早良親王の祟りに脅えはしただろう。しかし、それがさらなる遷都を行う原動力になるほどのものであったのかどうか。平安京に遷都した後の延暦十六年から延暦十八年にかけて、第七皇子の大伴親王（淳和天皇）、大田親王、従四位の菅野真道と多治比真人、そして従五位の藤原奈良子に対して、それぞれ長岡京の跡地を一町ないし二町を下賜している。廃都により不要の地になったからだが、怨霊のために自身が逃げた土地を自らの子供たちや重臣に与えるものだろうか。延暦十六年五月と延暦十八年二月に淡路国の早良親王の墓を供養し、延暦十九年七月になって早良親王に崇道天皇という名前を与え、廃后の井上内親王を皇后に戻して2人の墓を山陵としている。それは平安京遷都の3年後以降の出来事であり、遷都との間で連続性がみられない。早良親王が怨霊になったとする記述も、延暦二十四年以降だ[17]。

次に洪水説についてだが、長岡京の発掘調査において8世紀後半に左京などの複数の地点で洪水性の堆積がみられる[18]。しかしながら、宮のある丘陵の上やその東側で水に浸かった跡や土砂は確認されていない。[19]長岡京の中心部に洪水の被害が及んだ事実は見つかっていないのだ。

つまり、早良親王の祟りに脅える中で、さらなる遷都に向けて桓武天皇の背中を押したのが、洪水という自然災害なのかもしれない。複合説とよばれるものだ。[20]

㈤桓武天皇の再起

▼さらなる遷都の決断

桓武天皇は長岡京に代わる新都となる場所を探すことになり、おおいに悩んだであろう。平城京に残っていた抵抗勢力たる貴族や僧侶を納得させてから、3年程度しか経っていなかった。再び場所の選定に失敗すると、自身の権威を失墜させかねない。『日本後紀』延暦十八年二月二十一日の和気清麻呂の薨伝に、平安京を選んだ背景が語られている。清麻呂は長岡京の造営を開始して10年を経ても完成せず、費用が増える一方であることを案じた。そこで人目を避けて桓武天皇に上奏し、狩猟を口実に山背国の葛野《かどの》の地を視察できるよう図ったという。

延暦十一年八月八日の洪水以降で桓武天皇が狩猟などで葛野を訪れた時期として、九月二十五日と十一月二十四日の登勒野《とろの》での狩猟が注目される。この地は特定できないが、同年正月二十日に登勒野で狩猟した後に「葛野川を臨んで従臣に酒を賜った」とあり、葛野の近傍であることはわかる。登勒野での2度の狩猟は、葛野を視察する機会になったのではないか。

延暦十二年正月十五日、大納言の藤原小黒麻呂と左大弁の紀古佐美に遷都のために葛野郡宇太村（京都市右京区宇多野）を視察させる。直後に遷都の決定がなされたのであろう。6日後の二十一日、内裏を解体することになったため桓武天皇は東院に遷御した。

三月七日には葛野の地の中で宮を設置する場所も定め、該当する土地44町の農民に対して3年分の収益を立退料として支払った。八月十日には新京の周囲の山において、死体を埋葬することと樹木の伐採を禁じた。延暦十三年七月になると、長岡京の東西の市を新京に移した。平城京から長岡京への遷都がわずか5カ月でなされたのに対し、長岡京から新都への遷都は1年9カ月をかけてじっくりと行われた。

▼第二次征討（延暦十三年）と平安遷都

『続日本紀』に続く国史の『日本後紀』は全32巻中22巻が散逸しており、延暦十一年から延暦十五年六月までの巻第一から巻第四も逸文になっている。このため、『日本後紀』が存在していた時代にその記述を簡記した『日本紀略』や『類聚国史』などで復元するしかない。飢饉についての記述は残っておらず、第二次征討についてもぼんやりとした姿しかみえてこないという悩ましさがある。

表3-3は、長岡京・平安京への遷都、蝦夷征討、そして飢饉の発生を時系列に並べたものだ。延暦十年に飢饉が終焉し、延暦十一年に1年かけて戦闘準備を整え、そして延暦十二年になってようやく第二次征討に着手した流れがみえてくる。二月十七日にそれまでの征東使という名称が征夷使に改められた。東に向けて国土を拡大するという言葉が、より直接的に夷狄を征するというものに変えら

れたのだ。長岡京から再び遷都する決断に合わせて外征でも心機一転を狙い、両者を連動させたとみる歴史家は多い[12]。

二月二十一日に征夷副使の坂上田村麻呂が長岡京で桓武天皇に出発の挨拶を行った。これは先遣隊であろう。坂上田村麻呂は延暦十二年の間、つぶさに延暦八年以降の飢饉からの東国諸国の回復状況や征討に向けた準備の進捗を確認したに違いない。

翌年の延暦十三年（７９４）正月一日、『日本紀略』によれば大伴弟麻呂が征夷大将軍として節刀を賜った。蝦夷追討について、同月十六日に山階の天智天皇陵と田原の光仁天皇陵に報告した。ここでも桓武天皇にとって崇拝すべきは自身の皇統の元である天智天皇と実父の光仁天皇であり、天武系が無視されていることを示している。翌十七日に参議の大中臣諸魚《おおなかとみのもろな》が伊勢神宮に派遣され蝦夷征討の祈願を行った。

九月二十八日、新都へ遷ることとともに征夷の成功を祈願し、諸国の名神に幣帛を奉った。桓武天皇にとって、この２つの事業へのこだわりがわかる。

戦争の状況は判然としない。延暦十三年六月に副将軍の坂上田村麻呂が蝦夷を征したとの記録だけが残っている。とはいえ、延暦八年と同様に桓武天皇のもとには逐次戦況が伝えられていたであろう。ここで桓武天皇は征討での戦勝報告と遷都をひとつの祝賀イベントとして結びつける構想を持った。

桓武天皇は十月二十二日に新都に移った。そして『日本紀略』十月二十八日の記述は、以下のようになっている。まず、征夷大将軍の大伴弟麻呂が「斬首４５７級、捕虜１５０人、馬の捕獲85疋、焼

西暦	和暦		長岡京・平安京への遷都	蝦夷征討	飢饉の発生
789	延暦八年	四月八日			伊賀国
		五月四日	桓武の夫人の藤原旅子、30歳で死去		
		五月十九日			阿波国、紀伊国
		六月三日		阿弖流為の攻撃で敗戦	
		六月九日		紀古佐美が撤退を奏上	
		七月十五日			伊勢国、志摩国
		七月二十五日			下野国、美作国
		七月二十七日			備後国
		九月十九日		敗戦の責任追及	
		十二月二十八日	桓武の生母、高野新笠、死去		
790	延暦九年	二月二十七日	内裏が西宮から東宮に移される		
		三月十五日			伯耆国、紀伊国、淡路国、参河国、飛騨国、美作国
		三月三十日			参河国、美作国
		閏三月四日		諸国に対し、3年以内に革の甲2000を造らせる	
		閏三月二十九日		糒14万石の用意を指示	
		閏三月十日	桓武の皇后の藤原乙牟漏が31歳で死去		
		閏三月十六日	「災変がおさまらない」		
		四月五日			備前国、阿波国
		四月十九日			和泉国、参河国、遠江国、近江国、美濃国、上野国、丹後国、伯耆国、播磨国、美作国、備前国、備中国、紀伊国、淡路国
		八月一日			大宰府
		九月三日	安殿親王が病気		
		九月十三日			左右京、五畿内
		秋から冬	豌豆瘡（天然痘）が流行		
791	延暦十年	五月十二日			豊後国、日向国、大隅国、紀伊国
		七月二十日		征夷大使に大伴弟麻呂	
		九月十六日	平城宮諸門を壊し、長岡宮に移築を命じる		

表3−3　延暦元年から延暦十三年にかけての、遷都と蝦夷征討の主な出来事と諸国からの飢饉報告

西暦	和暦		長岡京・平安京への遷都	蝦夷征討	飢饉の発生
782	延暦元年	四月十一日	宮の造営修理を司る造宮省の廃止		
783	延暦二年	十月十四日	交野（淀川を挟んで長岡の南側）に行幸		
784	延暦三年	二月		大伴家持を征東将軍、文室与企を副将軍に任命	
		五月十六日	藤原小黒麻呂らを山背国に派遣		
		六月十日	藤原種継らに造長岡宮使		
		七月四日	山崎橋建設のため、阿波国・讃岐国・伊予国に木材を進上させる		
		十月二十六日	左右鎮京使を任命		
		十一月十一日	桓武が長岡京に遷都		
785	延暦四年	五月十七日			周防国
		六月二日			出羽国、丹波国
		八月二十八日		大伴家持の死去	
		九月二十三日	藤原種継、矢で射殺		
		九月二十八日	早良親王が乙訓寺に移送		
		十月八日	早良親王を皇太子から廃す		
		十月十日			遠江国、下総国、常陸国、能登国
		十一月十日	交野の柏原で郊祀		
786	延暦五年	七月十九日	太政官院が落成		
		八月八日		征夷のために東海道・東山道に使者を派遣して軍士と戎具を点検	
787	延暦六年	十月八日	遷都により騒然としていることから、乙訓郡の出挙稲の未納分を免除		（今年は天下諸国豊作）
788	延暦七年	三月二日		軍粮3万5000石、糒2万3000石を7月までに多賀城に集めるよう指示	
		三月三日		歩兵騎兵5万2800人を翌年3月に多賀城に集めるよう指示	
		七月六日		紀古佐美を征東大使に任命	
		九月三日	宮は未だ完成せず、造営工事は増すばかりで徴発により人民が苦しんでいることから、出挙の利息を減免		

西暦	和暦		長岡京・平安京への遷都	蝦夷征討	飢饉の発生
791	延暦十年	十月二十五日		東海道・東山道の諸国に征箭（戦闘用矢）3万4500余具を作らせる	
		十一月三日		関東諸国に糒12万石の準備を指示	
		十月二十七日	安殿親王が長患いで伊勢神宮に向かう		
792	延暦十一年	六月十日	安殿親王の病気をトうと、早良親王の祟りとあり、使者を淡路国に派遣		
		六月二十二日	雷雨による集中豪雨で、式部省の南門が倒壊		
		八月九日、十一日	大雨が洪水を起こす。桓武は自ら桂川西岸に行幸して災害を視察		
		閏十一月二十八日		征東大使の大伴弟麻呂が辞見	
793	延暦十二年	一月十五日	藤原小黒麻呂らを山背国葛野に派遣し、新都を視察		
		一月二十一日	長岡宮の建物を解体するため、桓武は内裏から東院に移る		
		二月十七日		征東使を改めて征夷使となす	
		二月二十一日		征夷副使の坂上田村麻呂が辞見	
		三月一日	桓武は自ら葛野に行幸し、新京を巡覧		
		三月二十五日	天智・光仁・施基親王の三陵に遷都を報告		
		六月二十三日	諸国に新宮の諸門の造営を命じる		
794	延暦十三年	一月一日		大伴弟麻呂が節刀を授受	
		一月十六日		山階と田原に征夷を報告	
		一月十七日		伊勢神宮に蝦夷征討を祈願	
		六月十三日		田村麻呂が蝦夷を征すと報告	
		十月二十二日	桓武が新京に移る		
		十月二十八日	桓武、遷都の詔	大伴弟麻呂による戦果報告	
795	延暦十四年	一月十六日	正月の宴で「新京楽、平安楽土、万年春」が演奏される		
		一月二十九日		大伴弟麻呂が節刀を返進	

出典：『続日本紀』『日本紀略』『類聚国史』

落した村75処」と戦果を報告した。続いて、桓武天皇は遷都の詔を発する。戦勝報告は、遷都に花を添えるものであったに違いない。

続く十一月八日、さらなる詔で「この国は山と川が襟と帯のように配置され、自然でできた城のようだ」と盆地の地形を説明し、それにちなんで山背国を山城国と号すべきとした。また、この地に来る人々が異口同音に平安京とよんでいると語った。これが新都の名前の由来となる。

翌延暦十四年正月十六日に桓武天皇が臣下を招いて正月の宴を開き、踏歌節会《とうかのせちえ》の中で「新京楽《しんきょうらく》、平安楽土《へいあんらくど》、万年春《まんねんしゅん》」という雅楽が演奏された。その歌は次のようなものだ。

「山城国は昔から安楽であり、帝宅は新しく造られ心が引かれる、郊外の道は平らで千里まで望め、周囲の山河は美しい。日を置かずに一億年も続く宮が造営され、壮麗さは不朽であり、平安と号して無窮であることを表している」

早良親王の祟りから離れ、大雨洪水という自然災害から逃れ、東北北部では蝦夷を征討する中で、雅楽の奏でる「平安」は二重三重にも人々の心に響いたに違いない。葛野京ではなく平安京との名前が定着したゆえんであろう。

13日後の二十九日、弟麻呂は桓武天皇に節刀を返進した。かくして、新京での正月の賑わいの中で第二次征討は幕を閉じた。

▼征夷大将軍、坂上田村麻呂

坂上田村麻呂は第二次征討後も東北北部での蝦夷支配に深く関与した。延暦十五年（７９６）十月二十七日に鎮守将軍に任命され、翌年の延暦十六年十一月五日に征夷大将軍に任じられた。「征夷大将軍」という名称の初見は、前述したように第二次征討において大伴弟麻呂が節刀を賜るときに用いられたものだ。それ以前は持節大将軍（藤原宇合）、持節大使（藤原麻呂）、征東将軍（大伴家持）、征東大使・征東大将軍（紀古佐美）とよばれていた。征夷大将軍を含めいずれも常設の将軍ではなく、蝦夷を征討するときに任命される役職であった。

となると、延暦十六年末以降に大きな軍事行動がなされてもおかしくないところだが、そうした記録はない。その理由について論考したものは見当たらないが、この時期の天候不順による飢饉が大きく影響していたのではないだろうか。延暦十五年から延暦十八年にかけて、またもや日本全土を厳しい飢饉が襲っていたからだ（表3-1）。

延暦十五年七月の尾張国以降、4カ国で飢饉が発生し賑給が行われた。気候について詳述したものはないが、畿内においては八月に「長雨で晴れず諸社に奉幣」「長雨で穀価が高騰」とあり、大和国では山が崩れて洪水が発生している。これらが発端であった。

続く延暦十六年では、三月に甲斐国と下総国で飢饉が報告されて以降、飢饉が発生したとの国は延べ11カ国にのぼる。その地域も関東地方を中心に畿内そして土佐国にわたっている。この年の気候については、六月に丹生川上神社で「祈雨」と水不足に触れるものもあるが、七月に長雨により大和国の平群山と河内国の高安山が山崩れを起こし人家が埋没したとあり判然としない。ただし、関東地方の甲斐国・下総国・武蔵国での飢饉となれば、干ばつより長雨傾向だと想定される。『常陸風土記』に「霖雨《ながあめ》に遇はば、即ち苗子《なえ》の登《みの》らざる歎《なげき》を聞き、亢陽《ひでり》に遇はば、唯、穀実《こくもつ》の豊稔《みのりゆたか》なる歓《よろこび》を見む」とあるように、関東地方での凶作は干ばつではなく、長雨に由来するとされていたからだ。「雨年に豊作なく、旱魃に不作なし」という現在に残ることわざに通じているものだ。このような状況では、蝦夷征討のための軍粮の確保はとても覚束なかったであろう。

延暦十七年（798）では飢饉は九月の阿波国一国しか記録にない。とはいえ、収穫高はかなり低かったようだ。何となれば、延暦十八年二月に大和国、三月に紀伊国・近江国・伯耆国・阿波国に飢饉の報告が行われているからだ。前年の収穫が年明け早々に尽きてしまったのだ。四月以降も各国から飢饉の報告がなされ、そのつど賑給が実施された。五月二十八日には讃岐国で穀1万2000石を食糧が途絶している農家に貸し付けた。さらに六月五日の詔において、損害の甚だしい南海道を中心に11カ国に前年の租を全額免除すると発せられた。

延暦十七年のどのような気候が収穫量に打撃を与えたのか。『日本後紀』巻第七が散逸しているため、詳しい状況はわからない。閏五月と六月に丹生川上神社に「祈雨」とあるだけだが、飢饉発生の報告が西日本中心であることから、延暦十六年と異なり干ばつの様相であったかもしれない。

790年代後半の気候の特徴をみると、延暦十五年から十六年にかけてが長雨、延暦十七年が干ばつと極端な傾向が続けて起きている。気候全体の動きの変化としても、図3-1および図3-2では8世紀後半から9世紀前半にかけての数十年程度、寒冷な気候に下振れしている。地球規模での気候変動があったと考えられ、このことが日本列島周辺の気団配置に影響を及ぼし、ひいては異常気象を引き起こしたのかもしれない。筑波大学名誉教授であった吉野正敏博士は、短いながらも寒冷化が東北北部での国家の支配方式に大きな影響を与え、後にみるように延暦二十四年の徳政論争（徳政相論）

での政策変更をもたらしたとの仮説を提唱している。[21]

▼第三次征討（延暦二十年）

日本全土で飢饉が発生していた延暦十六年から延暦十八年にかけて、坂上田村麻呂は陸奥国に居座ったわけではない。『類聚国史』によれば、延暦十九年十一月六日に田村麻呂は征夷大将軍・近衛権中将・陸奥出羽按察使・陸奥守鎮守府将軍という役職でありながら、全国に連れていかれた蝦夷の状況を確認するため諸国を巡回したという。新たな蝦夷征討は飢饉の傷跡が収まるまで待たねばならず、それまでは体制の整備を行っていたのだろう。

延暦二十年（801）二月十四日、田村麻呂は桓武天皇から節刀を賜った。ようやく第三次征討に出動することになる。同年九月二十七日に田村麻呂は蝦夷を討ち平定したと報告し、十月二十八日には節刀を返進した。この戦功により、十一月七日に田村麻呂は従三位を授けられ、その他の者も位を受けた。

翌延暦二十一年（802）年明けに桓武天皇は、田村麻呂を胆沢城築城のために再び派遣し、併せて築城と防衛のための柵戸として駿河国・甲斐国・信濃国と関東各国の浪人4000人を移住させるよう勅を出した。この地域での国家支配がほぼ達成されたことを示すものだ（図3-4）。四月十五日に胆沢地方の蝦夷の首長であった阿弖流為と磐具公母礼《いわぐもきみもれ》はその仲間500人を連れて降伏した。延暦八年に第一次征討に赴いた国家軍を撃退してから13年の月日が経っていた。

七月十日、田村麻呂は阿弖流為と磐具公母礼を連れて平安京に帰った。田村麻呂は彼らを胆沢に戻して他の蝦夷の帰属を誘うべきだと主張したが、公卿らは獣心を持つ彼らが約束を守るわけがなく、陸奥国の奥地で放免するのは虎を残して災いが残るのと同じだと反論した。十一月十三日、二人は河内国植山で斬られた。

図3－4　東北地方の古代における城柵の北進

出典：吉野正敏（2009）：4～10世紀における気候変動と人間活動．地学雑誌 118（6）

▼徳政論争

延暦二十三年（８０４）正月十九日、武蔵国・上総国・常陸国といった関東地方の諸国と陸奥国に対し、糒１万４３１５石と米９６８５石が陸奥国小田郡中山柵に運ばれた。９日後の二十八日に第四次征討の人事が行われた。征夷大将軍が従三位の坂上田村麻呂、副将軍が正五位の百済王教雲と従五位の佐伯社屋《もりや》ならびに道嶋御楯、そして軍監8人、軍曹24人という内容だ。東北のさらなる北部へと支配地を広げるためのものだと考えられている。

しかし、坂上田村麻呂が節刀を賜って陸奥国に向かうことはなかった。この年の三月以降長雨があり、収穫に大きな損害が出た。摂津国では作物が実らず農民が窮乏していると報告された。飢饉の様相は翌年延暦二十四年に本格化し、二月に備後国、五月に甲斐国・越中国・石見国、六月に伊賀国と飢饉の報告があり賑給が施されている。おそらく、第二次、第三次の征討と同様に、飢饉の発生により遠征が延期されたのではないか。

延暦二十四年暮れの十二月七日、公卿の太政官奏として、本年の穀物の収穫は良好であったものの、それまでの災害や疫病で農業は損なわれたままであるとの実態が示された。そして、平安宮造営のための仕丁1281人をすべて停止し、衛門府の衛士らの人数も削減して、田租や22カ国の調と庸を減免することが訴えられた。この奏上は許可された。蝦夷征討など覚束ない状況であったのだ。

こうした状況下で、いわゆる「徳政論争」が行われた。中納言で近衛大将の従三位の藤原内麻呂の前殿にて、参議で右衛士の従四位下の藤原緒嗣と同じく参議で左大弁の正四位菅野真道により、蝦夷征討と平安京造営の是非が議論された。緒嗣は「天下は苦しい所であり、それは軍事と造作によるもので、この両方を停めれば農民は安心する」とした。真道は異議を唱えて賛成しなかった。桓武天皇は緒嗣の議論をよしとし、2つの事業を停止した。これを聞いた人々は誰もが感嘆したという。

桓武天皇は前年八月から病に伏せることが多くなっていた。長岡京の造営を進め第一次征討を命じた延暦八年の頃の辛酉革命に燃える気概の持ち主でも、また内政の危機を乗り越えて平安京に遷都し第二次征討の勝利を祝った延暦十三年の粘り強い為政者でもなかった。延暦二十四年になって早良親王の怨霊を鎮めるため淡路国に寺を建立し、全国に小倉を建てて奉幣するよう命じるなど、60代の終わりになって病弱で気弱な老人の姿を垣間見せている。

桓武天皇は、徳政論争の４カ月後の延暦二十五年（８０５）三月十七日に70歳で崩御した。その後、蝦夷征討の大規模な軍事行動はしばらく実施されなかった。蝦夷征討の再開は弘仁二年（８１１）の文室綿麻呂《ふんやのわたまろ》によるもので、この年は坂上田村麻呂が薨じた年でもあった。

桓武天皇による遷都と征討という二大事業が国家を困窮させたことについては、『日本後紀』大同元年四月七日の桓武天皇の薨伝に書かれて以降、多くの人々が知るところである。しかし、桓武天皇が治める時代は気候の変動が大きかったことはほとんど顧みられていない。２つの大事業の遂行と全国で起きた飢饉の動向を重ね合わせると、改めて造都と征討が難事業であったことが浮かび上がる。表３-３は２度の遷都の期間をまとめたものだが、その後においても飢饉が一服して国家的に余裕が生まれた時期に東北北部へ軍を進めている。

異常気象が続く時代に遷都と征討を貫徹したのは、まさに桓武天皇の執念といっていいだろう。注視したいのは、桓武天皇は45歳で即位していることだ。前途有望の才能ある青年が大きな事業に着手したわけではないのだ。当時としては初老にあたる年齢であり、奈良時代から平安時代にかけての歴代天皇の平均寿命は45歳前後だった。桓武天皇の年齢を考えたとき、延暦十一年夏に洪水に沈む長岡京を眺めても絶望せずに直ちに葛野に新都を移す決断をし、延暦八年の第一征討から延暦二十年に阿弖流為の住む胆沢を完全に支配するまで、12年にわたって大部隊の遠征軍を送る強い意志はどこから来たのだろうか。

天智系の皇統と百済系の母を持つという事情を鑑み、即位の正当性を示すためにかほどの努力を示さねばならなかったのか。あるいは困難に出合えば出合うほど闘志がわくタイプの人物だったのか。いずれにせよ、一代の革命家であったことは間違いない。

第4章　気象と疫病
——中宮定子の人生の暗転

「宮《みや》の御前《おまえ》に、内《うち》の大臣《おとど》の奉り給へけるを、（中宮）『此れに、何を書かまし。主上《うへ》の御前《おまえ》には、『史記』と言ふ書をなむ、書かせ給へる』など、のたまはせしを、（清少納言）『まくらにこそは、はべらめ』と申ししかば、（中宮）『さば、得てよ』とて、賜はせたりしを、あやしきを、『これよ』『なにや』と、尽きせず多かる紙を書き尽くさむとせしに、いとものおぼえぬ言ぞ、多かるうや」

（中宮定子様は、内大臣の藤原伊周様から賜った真っ白な紙の前で「これに何を書きましょうか、一条天皇の御所では『史記』という歴史書を書くようですが」とお尋ねになるので、私は「枕元でも置きましょう」と申し上げると、中宮様は「それじゃあ、貰ってよ」とおっしゃって紙をくださった。変なこと、「これも」「あれも」と、とてもたくさんあった紙を全部使って書こうとしたものだから、全くわけのわからない言葉が、多くなってしまった）

清少納言『枕草子』跋文[1]

(一)中関白家の隆盛

▼定子の入内

永祚《えいそ》二年（990）正月二十五日、藤原道隆《みちたか》の長女の定子《ていし》は一条後宮に入内した。貞元《じょうげん》二年（977）の生まれゆえ、数え年で14歳にあたる。着裳《ちゃくも》とよばれる女子の成人式を前年の永祚元年（989）十月二十六日に済ませており、年齢的に問題ない。定子の入内は、関白である祖父兼家《かねいえ》の構想によるものであった。天元三年（980）生まれの一条天皇は成人したとはいえまだ11歳であり、定子は3歳年上にあたる。定子は時を置かず二月十一日に女御となった。

藤原兼家は天禄三年（972）に長兄の伊尹《これただ》が死んだ後、4歳年上の次兄の兼通《かねみち》との権力闘争で敗れて以降、15年間にわたって逼塞していた。貞元二年、兼通は病が重くなると関白職を左大臣であった従弟の藤原頼忠に譲り、兼家から右近衛大将の職を取り上げた。兼家を後継者には絶対にしないという兼通の強い意志の表れを示すものであった。兼家にとって苦しい時代が長く続いたが、寛和二年（986）六月二十二日に花山天皇が19歳にして出家して退位したことで状況が一変する。『大鏡』によれば、花山天皇が女御であった藤原為光《ためみつ》の娘・藤原忯子《しし》と前年に死別したことが発端となり、兼家が皇太子であった懐仁《やすひと》親王を即位させるべく花山天皇の出家をうながす陰謀をめぐらしたという。何となれば、懐仁親王の母は兼家の娘の詮子《せんし》だからだ。7歳の懐仁親王は一条天皇として即位し、外祖父の兼家は摂政となった。寛和の変とよばれる事件である。

平安時代の藤原氏は外戚という地位を利用して摂関政治を行ったとされるが、外戚の中でも外祖父の地位が圧倒的に高い。外伯父あるいは外叔父となると複数名いることが多く、天皇にとって唯一無二の養育者とは明確に特定できないからだ。外祖父であったとしても、摂政の職に就くケースは意外と少ない。一条天皇の外祖父の兼家の摂政就任は、藤原良房《よしふさ》が貞観八年（８６６）に清和天皇の摂政となって以来、１２０年振りのことであった。その後の平安時代において、外祖父の地位で摂政に就任したのは、後一条天皇に対する藤原道長、堀河天皇に対する藤原師実（母・賢子の養父）、そして安徳天皇に対する平清盛しかいない。

寛和の変で政権を掌握したとき、兼家は数え年で58歳であった。兼家は一族の繁栄を願い、すぐに息子たちの官位を引き上げた。寛和二年七月、34歳の道隆は権中納言となり、永延三年（９８９）二月に内大臣へと昇進した。同月、28歳の道兼《みちかね》も右近衛権中将となり参議を経て寛和三年二月には権大納言にのぼり、21歳の道長も蔵人に補任され永延二年正月には権中納言となった。

道隆は高階成忠《たかしななりただ》の娘の貴子《きし》を妻としていた。成忠は当時最高の学者とされ、一条天皇が懐仁親王の時代に東宮学士を務めた経歴を持つ。娘の貴子も、和歌のみならず漢詩においても「少々の男子《おのこ》に勝《まさ》」（『大鏡』）る学識豊かな女性で、円融天皇の時代に後宮の実務を取り仕切る掌侍《ないしのじょう》に就任した経歴を持っていた。貴子は後に「女房三十六歌仙」のひとりに挙げられ、『新古今和歌集』に収録された貴子の歌は百人一首の54番に入っている。道隆（中《なかの》関白）との恋を歌ったものだ。

　　中関白かよひそめ侍けるころ
　忘しの行末まてはかたけれは　けふをかきりの命ともかな

図4-1　中関白家を中心にした藤原氏系図

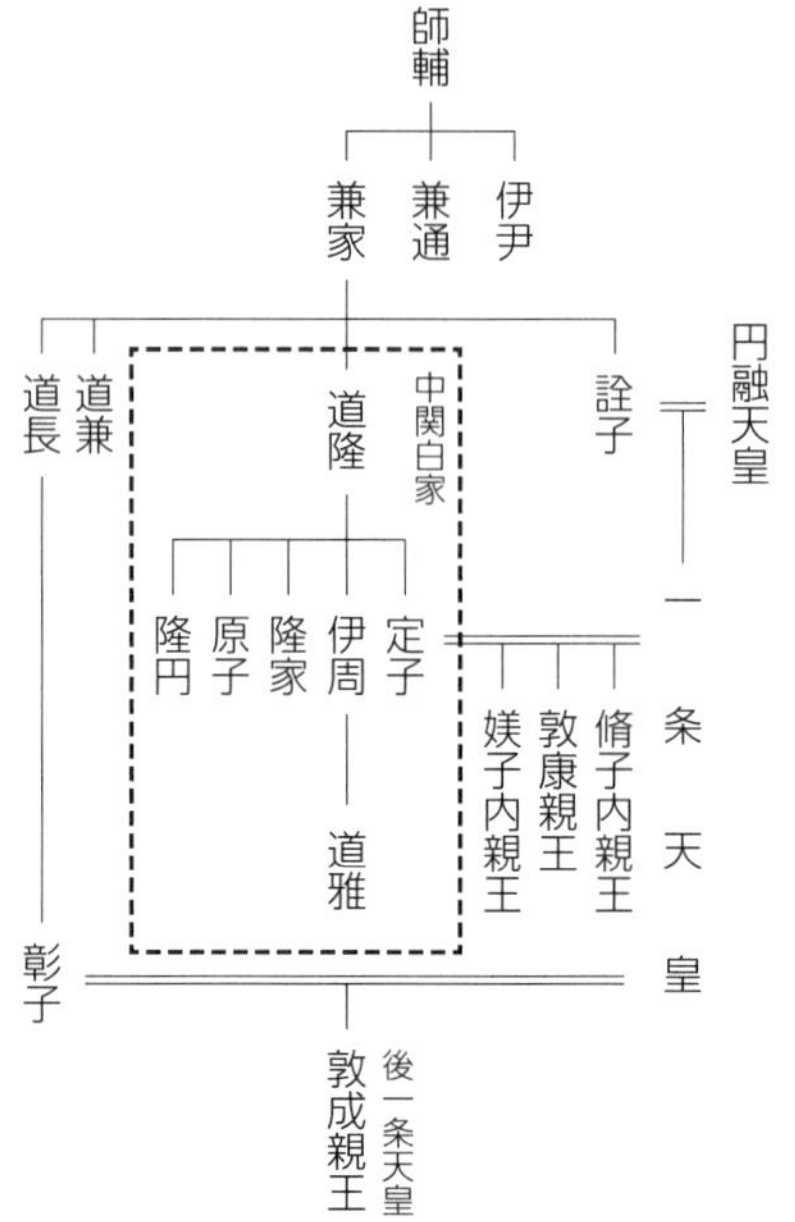

貴子は、天延二年（974）に嫡男となる伊周《これちか》、貞元二年（977）に長女の定子、天元二年（979）に次男の隆家《たかいえ》、そして天元三年（980）に僧都となる隆円《りゅうえん》を産む（図4-1）。中関白家とよばれる一族である。高階の血筋ゆえか、貴子の子供たちは長じてから詩歌に優れた才能をみせることになる。『大鏡』の「道隆伝」には、「二位の新発《しばち》（高階成忠）の御流《ながれ》にて、御族《ぞう》は女も皆、才《さい》のおはしましたるなり」とある。定子は、母譲りの学識ある女性であった。[2]

▼平安時代の気候

気候は、数年、数十年、数百年、さらに数万年という単位で変動している。長い周期からごく短期の周期での気候変動がある中で、古気候学の研究により9世紀から13世紀にかけて世界各地で気温が上昇したことがわかっている（図3-1）。特に950年頃から1250年頃にかけては、世界史の区分で「中世」となることから、欧州を中心に「中世の温暖期」(MWP：Medieval Warm Period)あるいは「中世気温高偏差」(MCA：Medieval Climate Anomaly) とよばれている。

日本の気候でも同様の傾向がみられるか。第1章でも触れたが、大阪府立大学の青野靖之准教授による桜の満開日に着目して3月の平均気温を推計する画期的な研究がある。桜は年を越して休眠打破した後に花芽の生長を再開し、気温の上昇に合わせて花芽が大きくなっていく。桜の開花時期の早いか遅いかについては、開花直前の春先の気温に依存するところが大きい。このことから、古文書に記載された桜の満開日の違いを比較することで、各年の3月の平均気温を推定できるのではないかという研究手法が生まれた。生物学的なアプローチによる古気候研究の集大成というべきものとして、大阪府立大学生能気象学研究グループの青野靖之准教授らは２００８年と２０１０年に集大成ともいえる研究論文を発表している[3][4]。

10世紀の場合、データ数は31（うち5つはフジによる補完）と限られているもので、3月の平均気温は7℃近辺で、もっとも高い年で7・6℃であり、20世紀後半まで10世紀の高い平均気温を超えることはなかったとする。１０００年前後から数十年間の低下期に入るまで、平安時代前半は暖かかったのだ。この天候が定子の人生に影を落とすことになる（図4-2）。

図4－2　京都市内での桜の満開日と3月の平均気温推計

(a) 満開日の正月からの経過日数（グレゴリオ暦による）

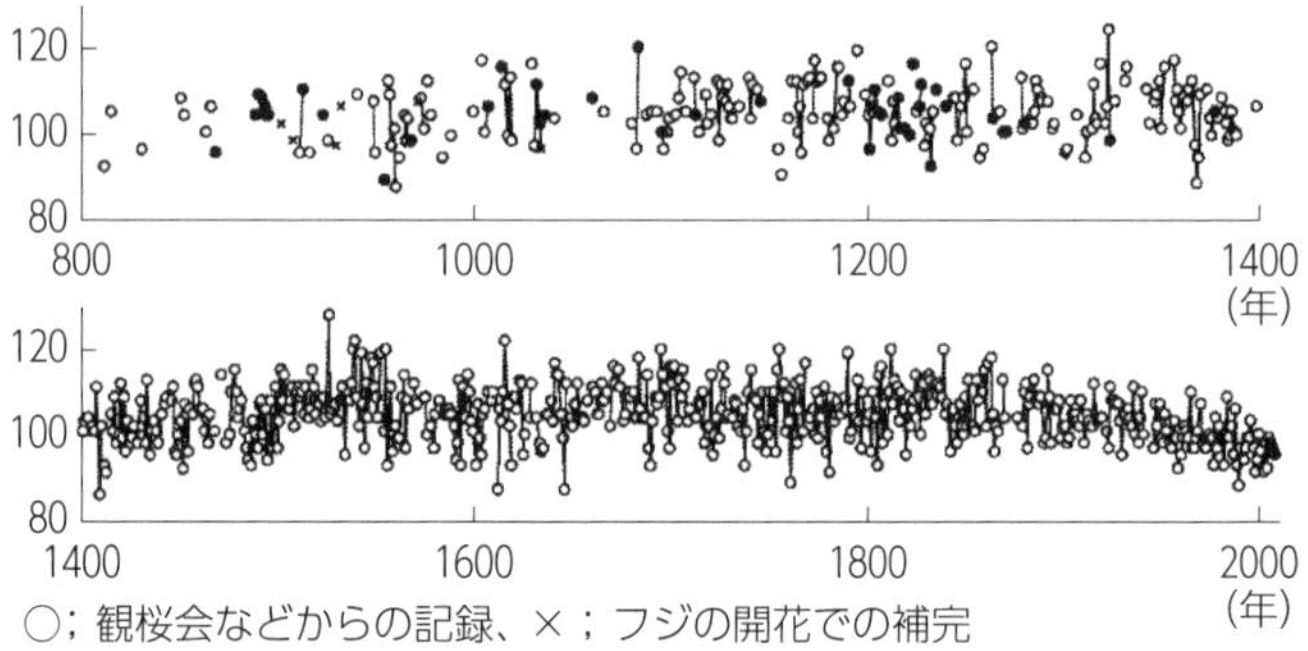

(b) 桜の満開日からの京都の３月の平均気温推計

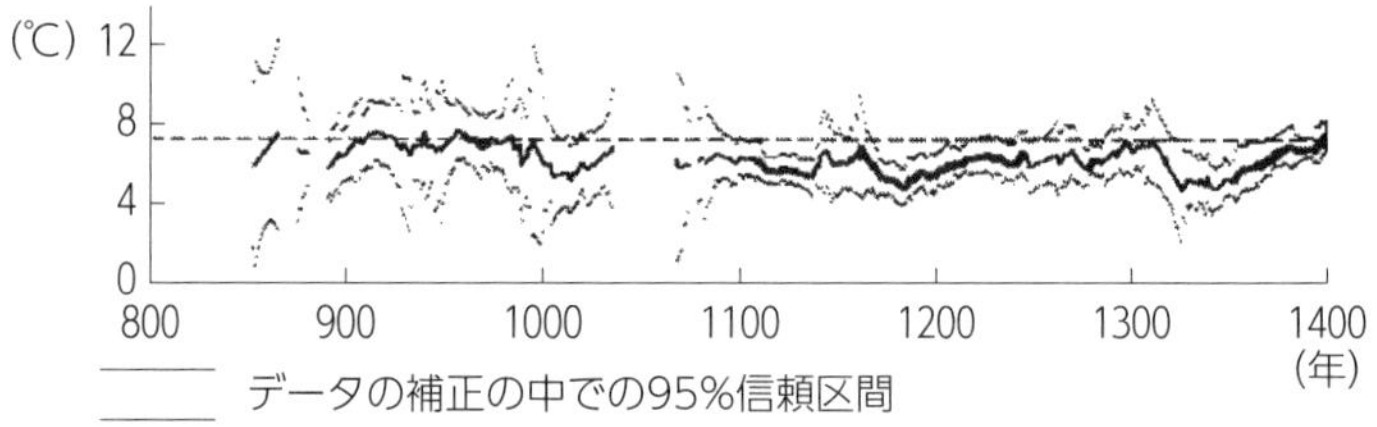

出典：Aono, Yasuyuki, Shizuka Saito (2010)：Clarifying springtime temperature reconstructions of the medieval period by gap-filling cherry blossom phenological data series at Kyoto, Japan.
International Journal of Biometeorology **54** (2) pp. 211-219

▼中宮となる定子

永祚二年五月に兼家は病に倒れ、四日に摂政・太政大臣を辞任し関白となった。八日には落飾し法名を如実として入道となり、長男の道隆が内大臣でありながら関白の宣旨を受けた。兼家は七月二日に62歳でこの世を去った。かくして、中関白家の時代が始まる。

38歳の道隆は自分の地位をより強固なものにすべく、兼家同様に自身の子女の引き上げを図った。七月十日の除目《じもく》で伊周を右中将、隆家を右兵衛権佐に昇進させた。そして、自身も外祖父になることを構想し、定子の身分を女御からよりいっそう確かなものにしようと目論んだ。

永祚二年十月五日、道隆は定子を中宮と号する措置を取った。そもそも中宮とは、皇后、皇太后、太皇太后を示す総称であった。この時、太皇太后に昌子《しょうし》（冷泉天皇の皇后）、皇太后に一条天皇母の詮子（円融天皇の皇后）、そして皇后に遵子《じゅんし》（円融天皇の后）がいた。この3人がもともとの意味で中宮であった。ところが、道隆は定子の地位を引き上げるため、中宮という名称を独立させて后を表す言葉のひとつとしたのだ。

皇后らと同格になった定子が一条天皇の皇子を産み、その皇子が次の天皇に即位すれば、道隆は外祖父として兼家同様に幼少の天皇の摂政になる道が開かれる。道隆からすれば、あとは皇子の誕生を待つだけとなった。

正暦五年（994）二月二十日、道隆は兼家が病気平癒のために建てた二条北の法興院の中に積善《さくぜん》寺《じ》という堂にて、一切経供養の法会《ほうえ》を行った。『日本紀略』に書かれた出席者は、順番に中宮（定子）、東三条院（詮子）、弾正尹為尊親王《だんじょうだいいためたか》（冷泉天皇第三皇子、母は兼家娘の超子）、四品敦道《あつみち》親王（冷泉天皇第四皇子、母は兼家娘の超子）とあり、そして右大臣源重信《しげのぶ》以下のすべての重臣が揃った。要人で出席していないのは、一条天皇と花山院だけであった。中宮の定子と皇太后の詮子の出席は行啓となるため、道隆は十七日に事前の勅許を得ていた。道隆の権力を見せつける行事であった。

この供養の様子は、『枕草子』第二百六十段「関白殿、二月廿一日に、法興院《ほこゐん》の積善寺といふ御堂にて」に描かれている。清少納言は前年秋（初冬）、30歳ほどの年齢で宮仕えになったと考えられている。

何となれば道隆が伴った夫人の貴子に対し、清少納言は「（自分のような）新しく出仕した女房に対して貴子は顔を見せてくれないので、不愉快な気持ちがする」と書いているからだ。『枕草子』で貴子が登場する箇所は、この段と後述する第九十九段しかない。清少納言は貴子についてほとんど語らないのは、自身が漢籍を能くするといっても、学者の娘である貴子には到底敵わないことへの僻目かもしれない。[5]

道隆は随所に磊落な姿で描かれている。定子の周りに侍る女房を眺めて、「誰一人悪い容貌はおらず、出身もご大家の娘ばかり」とし、定子のことを羨ましいと語る。それでいて女房たちに対して、定子は欲張りだと冗談を言い、「私は中宮が生まれてから一所懸命にお仕えしてきたが、まだお下がりの御衣一枚ももらっていない。これは陰口ではない」と女房一同の笑いを誘うのだった。

しかし、この前年秋に怪しげな兆候がみられていた。『日本紀略』には、正暦四年（９９３）八月十一日に「疱瘡の患者を救うために三合の食事を施す」とある。また、同月二十八日の記述には七月と八月に仁王般若経を読誦する仁王会《にんのうえ》を実施するとあるが、その理由として天台山門で逆徒が発生した事件とともに、疱瘡の患者がいたことが挙げられている。この流行病が正暦五年に本格化していくのだ。

(二)異常気象のもとでの疫病の流行

▼『日本紀略』『本朝世紀』の記述を追う

まずは正暦五年の疫病と異常気象について、『日本紀略』と『本朝世紀』の記述を中心に時系列で追っていきたい。『日本紀略』は平安時代中期に書かれたもので、『日本書紀』以降の六国史を抜粋し、それに後一条天皇までの記録を加筆している。『本朝世紀』は平安時代末期に六国史を継ぐ史書として編纂されたものの完成せず、現在ほとんどが散逸し、一部のみが残っている。

『本朝世紀』によれば、疫病の本格化について「二月以降に疫癘《えきれい》に依り病死の輩、幾千を知らず」(五月七日)、あるいは「去年中冬(正暦四年十一月)以後、今日に至るまで疫癘已に発し、府中静かならず」(五月十日)とあり、年初前後から病死者が増加したという。三月二十六日に、「疾疫の患」を理由として、重罪人の大辟《たいへき》(死刑囚)以下に対して、一部を除いて大赦を行い、税の中の庸調を免除し、老人に対して食糧を給付した。中国では古代から為政者に徳がないと天変地異が起きると考えられ、王朝交代(易姓革命)の正統性の根拠となっていた。日本では易姓革命こそなかったものの、中国の徳治政治の影響を強く受け、天災が起きると天皇は自分の不徳がその原因ではないかと省みている。奈良時代の『続日本紀』の記録をみると、疫病や干ばつ・長雨による飢饉の発生の際に、天皇は金光明最勝王経の読誦で国家の安泰を願う一方、犯罪者を許す恩赦を何度も行っている。その方針は平安時代に受け継がれていた。

四月十日、疾疫が一向に収束しないため朱雀門で大祓が行われた。同月二十四日、多数の死亡者が路頭に倒れており、人々は鼻を押さえて道を歩いたとし、鳥も犬も死体を食べ飽き、骸骨が道を塞いでいるとある。翌二十五日、京中の路頭で病人が倒れている数があまりに多いため、彼らを収容させるための宣旨が下された。

四月二十七日に伊勢神宮以下の神社で疾疫から救われるようにとの奉幣が行われ、天皇も八省院（朝堂院）まで行啓した。神道系だけでなく、二十八日には寺院でも疾疫によるとする読経が開始される。京だけで対応策を講じたわけではない。五月三日には山稜使が遣わされて疾病から救われるよう奉幣が行われた。同日、京の堀の水が溢れたが、堀の底に死者が詰まっており、検非違使が死体を掻き出したとの惨状も記述された。同月十一日には、五畿六道の諸国に対し、疾病を追い払うための仁王会を修めるようにとの文書が発せられた。

都では流言も広がった。五月十六日、ある狂った男が左京三条南の油小路西の小さな井戸の水を飲めば病気に罹らないと言ったと伝えられると、男女がこぞって水を汲みに訪れたとある。六月十六日には疫病神が横行するという妖言があり、公卿から庶民に至るまで門戸を閉ざし、街路を往還する者が途絶えた。

話が前後するが、六月四日に丹生川上神社と貴布祢《きふね》神社で祈雨による奉幣が行われた。丹生川上神社は奈良時代から、そして貴布祢神社は弘仁九年以来、祈雨奉幣を行う代表的な神社であった。奉幣を行う理由として、「疫癘病死」とともに「旱魃」も挙げられている。疫病とともに干ばつの様相を呈していたのだ。

六月十三日にも、両神社で祈雨の奉幣が行われた。この年の六月十三日はグレゴリオ暦で7月28日にあたる。今日的にみても梅雨が終わる時期であり、7月末に雨乞いの祈禱をするというのは深刻な水不足を意味している。このことから、正暦五年は降水量が少なく、米などの食糧生産に大きな支障をきたしたであろう。『本朝世紀』には続けて、「前月以来の炎旱に相成り、雨下らず、田園で次第に不作を焦り、農民は食糧の不足を嘆く」と書かれている。

その後、七月二十日に大風（台風）が到来し家屋の破損が甚だしいとあるが、グレゴリオ暦では9月3日であり、農産物の生育にとって水が潤沢に必要な時期を過ぎていた。七月二十一日に疫疾を祈るための読経が行われ、翌二十二日に賑給として救済米の配布がなされており、食糧不足の様相が読み取れる。七月二十八日、京において死者は人口の半分にのぼったとし、五位以上の殿上人でも死者は67人にのぼったとある。その後も寺院において大般若経が講読され、諸社に対して奉幣が続けられた。

『日本紀略』は正暦五年の記述を終えるにあたって、次のように一年を振り返っている。「正月から十二月に至るまで、天下疫癘が盛りとなる。鎮西（九州）より始まり七道に満ちる」。しかし、一向に終息の気配はみられず、疫病は翌年の長徳元年にも続いていった。『愚管抄』には次のように書かれた。「正暦五年、長徳元年ツヅキテ大疫癘ヲコリテ、都鄙《とひ》ノ人多ク死ニケリ」。

▼疫病は天然痘か、麻疹か

正暦四年に始まり、この年の暮れないし翌年の初めから流行が本格化した疫病とは何であったか。天然痘とする説と麻疹とする説がある。結論からいえば、天然痘と考えていい。それは以下の理由による。

まず『日本紀略』の正暦五年の最後の記述をみると、この疫病が一年を通して猛威を振るったことがわかる。麻疹の場合、流行する時期が春から初夏にかけてであり、このような季節性が『日本紀略』との記述とは合致しない。

次に「鎮西（九州）より始まり七道に満ちる」という感染ルートは、天平七年（７３５）の天然痘の大流行と重なるものがある。『続日本紀』には、大宰府で天平七年八月に疫病による死者が多いと伝えられ、ひたすら斎戒して道饗《みちあえ》の祭祀を行うようにとの指示が出された。しかし結局、この年の最後に「夏から秋にかけて豌豆瘡《わんずかさ》、別名を裳瘡《もがさ》が全国的に流行し、死者が多かった」と総括されている。天平七年の事例では新羅でも天然痘が大流行しており、感染ルートとしては、朝鮮半島経由が有力視されている[6]。

最後に、世界保健機関（ＷＨＯ）は１９８８年に『天然痘の歴史と世界での流行』という大部の報告書を発表しており、この中で10世紀での日本の天然痘の流行年として、９１５年、９２５年、９４７年、９７４年、９９３年、９９８年を挙げている。医学の専門家のエッセイにも、９９３年に始まる疫病を天然痘とするものがある[7][8]。

興味深いことに世界保健機関の報告書は、９８２年に日本での最初の医学書『医心方』に書かれた天然痘の患者への処方を紹介している。当時の処方とは、天然痘患者の病室に赤い幕を垂らすというもので、こうした処方は長く続けられた。17世紀にヨーロッパの医者の報告として、日本の医師は天然痘の患者の患部を赤い布で覆っていると記されている。天然痘の患者に対して、赤い服、赤い紙、赤い布で囲うという風習は、中国、インド、中央アジアのジョージア、西アフリカにもみられるものだ。

▼天然痘と干ばつの関係

天然痘ウイルスはラクダのウイルスに由来すると考えられ、その発症例は古代エジプトのものがもっとも古い。自然宿主は人間だけであり、戦争、貿易、移住といった人々の交流の中で伝播していく。インフルエンザウイルスのように寒冷乾燥を好むということはなく、天然痘ウイルスの増減が直接的に気象条件の影響を受けることはない。

しかし、日本での天然痘の流行を振り返ると、その流行が干ばつの発生と重なっている事例が少なくない。文献記録が示す最初の天然痘の流行は天平七年に始まるのだが、同年から天平九年にかけて干ばつが続いていた。奈良時代におけるその後の天然痘の流行年は天平宝字七年（763）と延暦九年（790）であるが、いずれも干ばつから飢饉が発生し、その後に天然痘が蔓延する経過をたどった[9][10]。

世界保健機関が挙げている10世紀の日本での天然痘の流行のうち、993年に始まる大流行を除く5回は次のものだ。

延喜十五年（915）では六月二十四日に雨を請う読経が行われ、陰陽寮では「甘雨《かんう》」を祈るために五龍が祀られた。甘雨とは草木をうるおす弱い雨で慈雨ともいわれる。干ばつの状況を想起させるもので、九月一日に「諸人、赤痢を煩う」される。そして、十月十六日に疱瘡を除くとして仁寿三年や貞観五年の過去の事例を参照し、朱雀門などの3カ所で大祓を行っている。民間で疱瘡が広がっており、この年の農民に課す雑徭を半分に減免するとの措置も取った。

延長三年（925）では、五月二十八日に伊勢神宮の祭主であった大中臣安則《おおなかとみやすのり》が召されて甘雨を祈るよう命じられた。六月十三日に醍醐天皇自身が疱瘡を患ったとある。干ばつの様相はその後も続いたようで、七月二十一日に比叡山諸寺で、同月二十七日に東大寺大仏前で甘雨の祈りが行われた。

天暦元年（947）では、閏七月十九日に京中において「疫癘疱瘡を煩う」者があったとされ、八月十一日には「天下疱瘡の愁に依り、音楽無し」との記述も見える。八月十五日に「疱瘡を除く為に朱雀門三カ所で大祓」が行われた。この日の記述では、半年間にわたって30歳以下の人が軽い疱瘡を患った後、「今月以後」に隆盛となったとある。患部は「粟」や「豆」のようだと形容しており、『続日本紀』にある「豌豆瘡《わんずがさ》」という言葉を想起させる。また、今回の流行を延喜十五年以来のことだとも書いている。ただし、この年は㈣で述べるが、干ばつではなく多雨であったようで、天平七年、延喜十五年、延長三年、そして正暦四年とは状況が異なる。

天延二年（974）では、八月二十八日に天暦元年にならって朱雀門で「疱瘡の災いを除く為」に大祓がなされ、九月三日に伊勢神宮以下の6社で「疱瘡の災いを払う」ために奉幣が行われた。閏十月十七日、醍醐天皇の皇孫で伊勢神宮斎王の隆子女王が「疱瘡の病」により死んでいる。『日本紀略』

ではこの年に干ばつや長雨などの異常気象を示す記述はない。

長徳四年（998）の流行については、七月一日に「天下衆庶、疱瘡を煩う」とあるものの「稲目《いなめ》瘡《がさ》」「赤疱瘡《あかもがさ》」と書かれており、天然痘か麻疹かとの議論になっている。

天然痘が人間だけを介して広がるという特徴からすれば、干ばつなどの自然災害による飢饉発生で人々が栄養不足に陥り、免疫力が弱くなって大流行するというのは納得できるものだ。『日本紀略』の正暦五年の記述には、疫病の広がりに対して読誦や奉幣だけでなく、賑給という形で庶民への食糧給付も行っており、栄養不足の世相であったことを示している。干ばつによる飢饉の発生に伴う食糧不足の状況が、天然痘の全国的な流行の一因となったのではないだろうか。

(三)伊周と道長の抗争

▼中関白家の最後の輝き

疫病が広がる中で、道隆は政権をより強固にすべく正暦五年八月二十八日に人事を動かした。右大臣であった源重信を左大臣に、内大臣であった弟の道兼を右大臣に、権大納言であった長男の伊周を内大臣とした。正三位で権大納言の伊周の場合、正二位で大納言の藤原朝光《あさてる》と藤原済時《なりとき》、そして従二位で権大納言の藤原道長の3人を追い越すものであった。

この人事により、公卿上層部の序列は次のようになる。

関白	正二位	藤原道隆	42歳
左大臣	正二位	源重信	73歳
右大臣	正二位	藤原道兼	34歳
内大臣	正三位	藤原伊周	21歳
大納言	正二位	藤原朝光	44歳
大納言	正二位	藤原済時	54歳
権大納言	従二位	藤原道長	29歳
権大納言	正三位	藤原道頼	24歳
中納言	従二位	藤原顕光《あきみつ》	51歳
中納言	正三位	源保光《やすみつ》	71歳
中納言	正三位	藤原公季《きんすえ》	39歳

道隆はまだ壮年だ。そして、後継者として長男の伊周を引き上げた。道隆は態勢を順風満帆と考えただろう。さらに言えば、一条天皇に入内しているのは中宮の定子しかいなかった。有力貴族の中で適齢期の娘を持つ者もいた。藤原道兼の女の尊子《そんし》、藤原顕光の女の元子《げんし》、藤原公季の女の義子《ぎし》の3人は入内することが可能であった。しかし、道隆の権勢を恐れて、誰もが入内させることを躊躇っていたのだ。3人が女御として入内するのは長徳二年（996）以降であり、それまでの間、定子は一条天皇を独占していた。

中関白家の輝きの頂点の様相を、『枕草子』第九十九段「淑景舎《しげいしゃ》、春宮《とうぐう》にまゐりたまふほどのことなど」にみることができる。

正暦六年（995）二月十八日、定子の妹で前月に東宮居貞親王《おきさだ》（三条天皇）に入内したばかりの原子《げんし》が定子の住む登花殿《とうかでん》を訪ねてきた。この機会に家族皆で集まろうと考えたのか、２人の父母である道隆と貴子が1台の牛車に同乗して参内する。定子は紅梅の柄の衣の組み合わせが季節に合わないと不満げだ。清少納言は、定子を「ゆったりとおとなっぽくいらっしゃる」とし、原子（淑景舎の君）を「大変美しく、絵にかいたようだ」と表現する。道隆は２人の娘が朝食を食べている姿を満足げに眺め、いつも通り冗談ばかりを口にする。「うらやましい。おふたりだけでなく、女房の皆さんも食膳が出たようだ。早く召し上がってわれわれ翁《おきな》（道隆）と嫗《おうな》（貴子）におさがりを出してほしい」。

やがて、伊周と隆家の兄弟もやってくる。清少納言は伊周を「堂々たる風采で美しい」、隆家を「しっかり者」と評する。伊周は3歳になる長男の松君（道雅）を連れてきたが、道隆は「定子様の御子だと人前に出してもおかしくない」と言いつつ、「定子様にはまだおめでたはないのか」と心配気に話す。一条天皇も登花殿に立ち寄ると、道隆は「果物、肴などご馳走なさい。人々酔わせ」と陽気に女房に指示する。

日が沈み一条天皇は清涼殿に戻ると、今度は使いの者をよこして定子にこちらに来るようにと伝えてきた。定子は「今宵はとても無理だわ」と渋るが、２人の間の子の誕生を切望する道隆は、「それはとんでもないこと。早く行きなさい」とせかした。定子は道隆らを見送った後で、ようやく一条天皇のもとに向かうのだった。

▼公卿への疫病の広がりと道隆の死

ところが、疫病は公卿上層部にも襲いかかってきた。まず、三月二十日に大納言の朝光が45歳で死去する。道隆も「病が深い」との理由で二月二十六日に関白職の辞表を提出するものの、一条天皇の許しは得られなかった。『枕草子』第九十九段で冗談を言う道隆の姿は、最後の輝きとでもいうべきものだ。

もっとも、道隆の患った病は疫病ではないようだ。『大鏡』第四「道隆」に、「大疫癘の年こそ亡せたまひけれ、されどその御病《やまい》にてはあらで、御酒《おんみき》の乱れさせたまひしになり」と書かれている。また、『栄花物語』の巻第四「みはてぬゆめ」では、正暦五年の冬になって「水をのみきこしめて、いみじう細らせたまへり」と飲水病（糖尿病）で痩せ細くなったとある。天然痘の場合、小さな腫瘍が顔や身体に現れるため誰にもわかるので、同時代の記録から重い糖尿病を患っていたと考えられる。[11]

死期が近いことを悟った道隆は、伊周を後継者とすべく動いた。三月のある夜に参内し、「かくてみだり心地いたくあしくさぶらへば、このほどの政《まつりごと》は内大臣おこなふべき宣旨《せんじ》下させたまへ」と奏上した。三月九日、頭弁《とうのべん》源俊賢《としかた》を通して外記《げき》に伝えられた勅命では、「太政官 幷《ならびに》殿上奏上の文書等、関白病の間、暫く内大臣が触れる」とされた。この文書の「触れる」とは「内覧」のことだが、一条天皇の意思はあくまで道隆が病の間だけ、伊周に内覧するよう命じるというものであった。伊周の岳父・高階成忠の子で伊周と定子の外伯父にあたる信順《のぶのり》は、「間」ではなく「替」とすれば伊周の内覧が恒久的になると大外記の中原致時《むねとき》に画策したが、これは拒絶された。[12]

四月三日に道隆が関白ならびに随身の地位を返上する際に、伊周は摂政・関白だけが賜る随身の地位を欲した。一条天皇が摂政・関白以外で随身になる先例があるのかと問いかけると、道隆は頭弁を通して関白の地位をも伊周に譲る意向を示した。しかし、一条天皇はそれを許さずに「気色不快」になった。伊周は五日に随身に任じられたものの、関白の地位を得るには至らなかった[13]。

道隆は関白を辞した日に藤氏長者の印を弟の道兼に渡し、六日に出家し、十日に二条南院でこの世を去った。

▼相次ぐ疫病死、政権は道長のもとへ

道隆の死後17日を経た四月二十七日、一条天皇がようやく後継の関白に選んだのは道兼であった。しかし、その道兼は五月八日に疫病で死んでしまう。「七日関白」といわれるゆえんだ。四月二十三日に大納言の済時、道兼と同じ五月八日に左大臣の源重信、中納言の源保光も病死した。かくして、権大納言以上の地位で残ったのは、内大臣の伊周と権大納言で中宮大夫の道長だけとなった。

五月十一日、30歳の道長に内覧の宣旨が下った。一条天皇は、伊周ではなく道長を選んだのだ。とはいえ、道隆、道兼と続いた関白の地位を道長に与えることはなかった。このいきさつについて、さまざまな理由が挙げられている。

『大鏡』第五「道長」では、東三条院となった詮子が息子の一条天皇に対して、道長を関白にするよう強く推したと書かれている。詮子からすれば、長兄が道隆、次兄が道兼、弟が道長であり、自分の兄弟で関白の座をつなげることが「道理」であった。しかし、一条天皇が道兼に関白宣旨を出したといっても道隆の死後17日後のことで、関白を置くことそのものにためらいがあったようだ。詮子は一

条天皇のいる清涼殿に参内し、夜に寝室を訪れ、道長を関白とするよう泣く泣く訴えた。「帝いみじう渋らせたまひけり」と一条天皇は気が進まなかったが、内覧の地位とは関白の代わりの妥協の産物であったのかもしれない。

次に、ライバルであった伊周はなぜ選ばれなかったのか。『大鏡』には、伊周は一条天皇と定子の2人と日頃から懇ろであり、道長など眼中になく、詮子の悪口も言っていたとある。しかし、『大鏡』は伊周に対して辛辣で、「いかでか、嬰児《みどりご》のやうなる殿の、世の政事《まつりごと》をしたまはぬ」と若さ・幼さゆえに伊周は世の人々に支持されなかったとある。確かに伊周の言動は派手で、儀式作法などで年長の公卿に議論を挑んでいたことがうかがえ、周囲から「小僧」と内心で憎まれていた面はあったろう。何より、年齢が若すぎた。『公卿補任』で上層部の構成をみると、一条天皇即位の翌年の寛和三年四月では摂政の兼家が59歳、太政大臣の藤原頼忠が64歳、左大臣の源雅信が68歳、右大臣の藤原為光が46歳であり、大納言の藤原朝光が37歳、権大納言の道隆が35歳であった。先代の花山天皇即位の翌年の永観三年四月でも、関白太政大臣の藤原頼忠が62歳、左大臣の源雅信が66歳、右大臣の兼家が57歳であり、権大納言までで最年少者は35歳の藤原朝光だ。円融天皇と冷泉天皇の即位年（安和二年と康保四年）では、権大納言以上はすべて40歳以上であった。もともと、伊周の21歳での内大臣というのが、異例中の異例であったのだ。

三番目の見方として、16歳の一条天皇は延喜・天暦の時代にならって親政を行おうとの意識をひそかに持っていた、とするものだ。[14] 醍醐天皇と村上天皇は在位中に摂政・関白を置かず、「延喜・天暦の治」と称賛されている。一条天皇もこうした政治体制を志向したとの考え方による。一条天皇は摂関政治の申し子のような印象を持つが、実際には長徳元年以降の道隆、伊周、詮子、道長らの要望に対して素直に満額回答を出していない。道隆の強い要請にもかかわらず、伊周を臨時の内覧とし随身にまでしたものの、関白就任を拒否した。道兼を関白にしたものの、簡単には決断せずに14日間も時間を置いた。道兼死後に消去法から道長を内覧としたものの、詮子が道長の関白就任を求めても応じることはなかった。道長の日記は『御堂関白記』と名づけられているが、道長が関白に就任したことはない。一条天皇の死後に三条天皇を経て、彰子が産んだ後一条天皇が9歳で即位したことで、ようやく摂政になっている。

㈣延喜・天暦の治

▼「聖代」といわれる時代

『枕草子』第二十段「清涼殿の丑寅《うしとら》の角《すみ》の」は、正暦五年二月下旬の頃のことで、清少納言が18歳の定子の教養に圧倒される場面が描かれている。定子は『古今和歌集』を横に置きながらある和歌の下の句がどうなるかといった問いかけしつつ、円融天皇や村上天皇の時代の後宮でのエピソードを女房たちに紹介していく。定子は一条天皇との間でも、村上天皇の時代の話を語り合ったであろう。

平安時代で最高の時代は醍醐天皇（在位：８９７～９３０）と村上天皇（在位：９４６～９６７）の治世とされ、「聖代」ともいわれる。後年、建武の新政において、後醍醐天皇はこの時代を強く意識し、自らの諡号を「後の醍醐」としており、継いで即位した長男も後村上天皇と名乗った。北畠親房は『神皇正統記』に、「（村上）天皇賢明の御ほまれ先皇の跡をつぎ申させ給ひければ。天下安寧なる事も延喜延長のむかしのことならず。文筆諸芸を好み給ふ事もかはりまさゞりけり。万のためしには延喜天暦の二代とぞ申侍る」と記している。維新後の明治政府においても、「延喜・天暦の治」は大きく喧伝された。

そもそも、いつ頃から、醍醐天皇と村上天皇の治世が素晴らしいという考え方が広がったのであろうか。文献的には天禄四年（９７３）正月の藤原篤茂の奏状に「延喜聖代」とあるのが初見とされ、次いで『本朝文粋』天元三年（９８０）正月の源順《みなもとのしたごう》の申状に「延喜天暦二朝を案ずるに（略）聖風相伝わる」と讃える言葉がある。そして、長徳二年以降に東宮学士・文学博士となる大江匡衡《おおえのまさひら》の詩文で頻出していく。つまり、「延喜・天暦の治」という考え方は、円融天皇の時代に起こり、一条天皇の時代に広がったものだ。大江匡衡は侍従として一条天皇に謁見しており、彼の考え方が一条天皇に伝えられたのかもしれない。

では本当に素晴らしい時代であったのか。「聖代」とする見方では、摂政・関白を置かずに天皇親政であったこと、『延喜式』の編纂（９０５年に開始、９２７年完成）、六国史の最後となる『日本三代実録』の完成（９０１）、初の勅撰和歌集である『古今和歌集』の奏上（９０５）が挙げられる。村上天皇の時代においては、朝費節減、物価対策、徴税の徹底、荘園の整理などの政治の安定への努力もみられた。しかし今日的に振り返ると、文芸の興隆など泰平感が漂うのは京を中心とする為政者の地域ばかりであり、日本という国でみると律令制から王朝国家へと変貌する激動期であった。そもそも、延喜と天暦を「聖代」と言い始めた源順や大江匡衡は学者文人であり、文化的事績をことさらに取り上げたと考えられる。[15][16]

▼延喜と天暦の狭間の承平天慶の乱

もっとも、この2つの時代に何らかの泰平感が漂うのは、両時代の間の17年間が波乱万丈であったことが挙げられよう。承平天慶の乱、より具体的な名称では平将門《まさかど》の乱（939〜940）と藤原純友《すみとも》の乱（939〜941）が起きている。『日本紀略』の記述から、朝廷が2つの乱で大きな衝撃を受けたことがわかる。

承平六年（936）六月には、「南海賊徒」の首領として「藤原純友」の名前がみられ、伊予国日振島を根拠地とし1000艘の船で「官物私財」を略奪しているとして、伊予守に追討を命じたとある。天慶二年（939）になると四月に出羽国で反乱が起きた。十二月十九日になると、諸卿は藤原純友の「悪事」に反撃すべく陣頭《じんがしら》を定めているが、二十六日に藤原純友は摂津国への襲撃を始めた。

ところが翌二十七日、今度は平将門と武蔵権守従五位の興世王《おきよおう》らが謀反を起こし、東国で略奪（掠虜）を行ったとの報告が届いた。天慶三年の正月は、東国での兵乱により宴会において音楽は演奏されなかった。正月十九日に参議修理大夫の藤原忠文を征東大将軍として右衛門督に任じ、下旬には遠江・伊豆・駿河での戦乱が報告された。二月八日、藤原忠文を東国に派遣するに際し、節刀が賜れた。そして二十五日、賊を征夷するための仁王会が行われる中で、信濃国の馳驛《ちえき》から危急の報せが届いた。「今月十三日、下総国辛島の合戦の間、下野陸奥軍士の平定盛と藤原秀郷らが（将門を）討殺した」

という内容であった。平将門の乱は2カ月で鎮圧されたが、この間に朝廷が動乱をいかに重視していたかは『日本紀略』が詳述していることで見て取れる。

藤原純友は平将門が討たれた後も戦果を広げ、八月に讃岐国、十月に大宰府に略奪行為を行った。しかし、天慶四年五月十九日、征南海賊使の小野好古によって大宰府で捕縛され、六月六日の追捕使の飛脚が「賊徒を撃破した」と報告した。七月七日、橘遠保によって藤原純友は誅されたと伝えれ、一連の争乱はようやく幕を閉じた。

このように、平将門と藤原純友の起こした反乱は乱の実態そのものの影響もさることながら、政権に随時伝えられたことに注目したい。鎮圧についても、征東大将軍や征南海賊使を任命し、現地に派遣している。京においても、不穏な空気が満ちていたことは想像に難くない。

▼白頭山の大噴火

白頭山は中国と北朝鮮の国境沿いにある活火山で、標高は2744メートルあり、山頂に9・8平方キロメートルのカルデラ湖がある。カルデラ湖はおよそ1000年前の巨大噴火によって形成されたものだ。

火山噴火の規模を表す（尺度）として、火山爆発指数（VEI：Volcanic Eruption Index）というものがある。火山からの噴出量によって1から8までランク付けしており、噴出量が10億立方メートル（1立方キロメートル）でVEIが5、100億立方メートル（10立方キロメートル）でVEIが6、1000億立方メートル（100立方キロメートル）でVEIが7と定義されている。VEI

表４－１　過去１万年間の巨大火山噴火

	火山名	地域	火山爆発指数	マグマ換算体積(㎦)	噴火時期（年）
1	クリール湖	カムチャッカ半島	7.3	80.0	BC6460-6414
2	サントリーニ島	ギリシア、地中海	7.2	60.0	BC1670-1600
3	クレーター・レイク	オレゴン州	7.1	52.0	BC5677
4	サマラス	インドネシア	7.0	40.0	1257
5	イオパンゴ	エルサルバドル	6.9	39.0	536
6	タンボラ	インドネシア	6.9	33以上	1815
7	タウポ	ニュージーランド	6.9	35.0	232±5
8	クワエ	ヴァヌアツ	6.9	32-39	1452 or 1453
9	アニアクチャック	アラスカ州	6.8	27.0	1645
10	白頭山	中国・北朝鮮	6.8	17.0	946
11	キロトア	エクアドル	6.6	21.0	1275
12	ノヴァラプタ	アラスカ州	6.5	6.8	1912
13	クラカタウ	インドネシア	6.5	12.5	1883
14	サンタ・マリア	グアテマラ	6.3	8.6	1902
15	ピナトゥボ	フィリピン	6.0	5.0	1991
16	ヴェスビオ	イタリア	5.3	3.3	79
17	ワイナプチナ	ペルー	5.1	2.6	1600

出典：Lavigne et al（2013）：Source of the great A.D. 1257 mystery eruption unveiled, Samalas volcano, Rinjani Volcanic Complex, Indonesia. Supporting Information（Lavigne et al. 10.1073/pnas.1307520110）

図4－3　白頭山の火山灰などの降灰

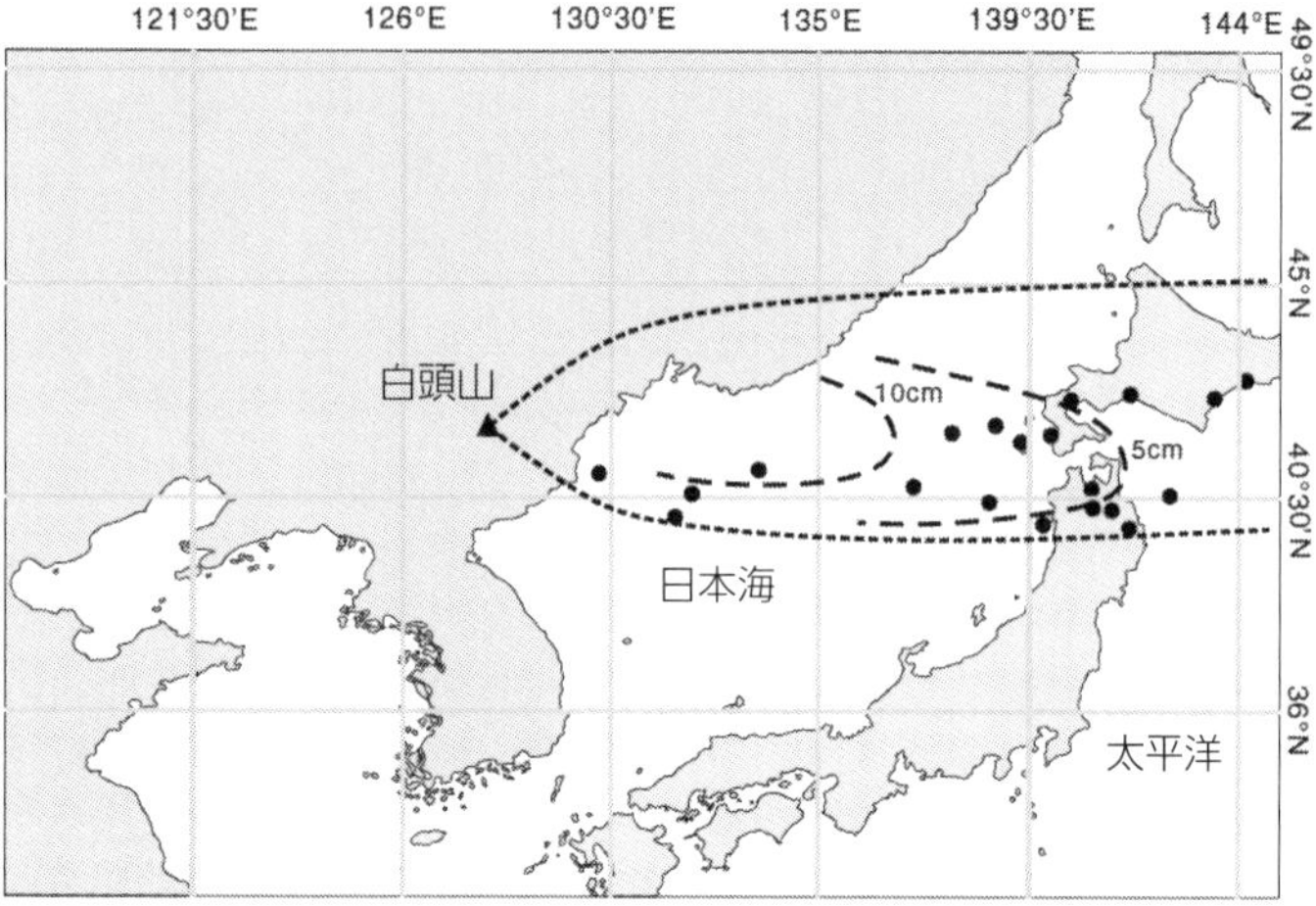

出典：Machida, H. and Arai, F.（1983）Extensive ash falls in and around the Sea of Japan from large late Quaternary eruptions. *J. Volcano Geotherm. Res.*, **18** pp. 51-164.

で6以上が巨大火山噴火とよばれる。

1000年ほど前の白頭山の噴火はVEIで6・8とされる巨大なもので、過去1万年間に起きた噴火の中で上から10番目に入る（表4－1）。白頭山より東方の北海道から東北北部にかけて火山灰や軽石などが堆積した地層があり、白頭山－苫小牧テフラ（B-Tm ash）として世界的に有名なものだ（図4－3）。

この噴火があった具体的な年はいつであったか。かつては、926年の渤海滅亡のきっかけになったのではないかとの推測もあった。しかし近年、グリーンランドの万年雪を掘削した氷の柱に含まれる火山性堆積物などを細かく検証し、946年の終わり頃だということがわかった。文献記録でも、『興福寺年代記』の天慶九年（946）十月七日夜に「白灰散如雪」と火山灰が降ったと記録されている。火山灰の降灰については、同じ年の福井県水月湖の湖底堆積物の地層から苫小牧のテフラと同じ成分の二酸化ケイ素が見つかっており、文献記録と地質学の検証が一致した。『日本紀略』には天慶十年正月十四日に「此日。空中有聲、如雷」と噴火の音が聞こえたようだ。白頭山の噴火は、946年終わりから947年初めにかけて断続的に続いたのであろう[17][18][19]。

火山噴火の噴出物には大きく分けて、火山灰と火山性エアロゾル（微粒子）の2つがある。前者は「灰」といってもガラス状で重量があるため、噴火により空中に舞い上がったとしても数日から数週間で地表に落下してくる。一方の火山性エアロゾルの二酸化硫黄（SO_2）や硫化水素（H_2S）は大気中で酸化して硫酸（H_2SO_4）となり、硫酸エアロゾルは成層圏で数年間漂い続ける。この硫酸エアロゾルが「日傘効果」といって太陽光を宇宙へと反射する効果があるため、巨大火山噴火が起きると冷夏となり「火山の冬」が起きる。表4-1に掲げた巨大火山噴火では、6世紀のイロパンゴ、13世紀のサマラス、15世紀のクワエ、17世紀のワイナプチナで文献記録での気候の寒冷化をみることができる。19世紀のタンボラ、20世紀のサンタ・マリア、ノヴァラプタ、ピナトゥボでは気温観測により地球全体で0・2℃から0・6℃の寒冷化が確認された。

白頭山の噴火の場合、気候に及ぼした影響は噴出物の量から考えると意外に小さかった。グリーンランドの氷の柱では、火山灰は多いが硫酸エアロゾルはそれほどでもない、という結果であった。このため北半球全体といった大きな地域でみれば、翌年の夏の気温は前年に比べて1℃程度の低下だったようだ（図4-4）。

しかし、白頭山からわずか1000キロメートル余りの距離にある日本では、天候に大きな影響を

図4－4　白頭山の噴火前後の北半球の夏（6～8月）の平均気温推移

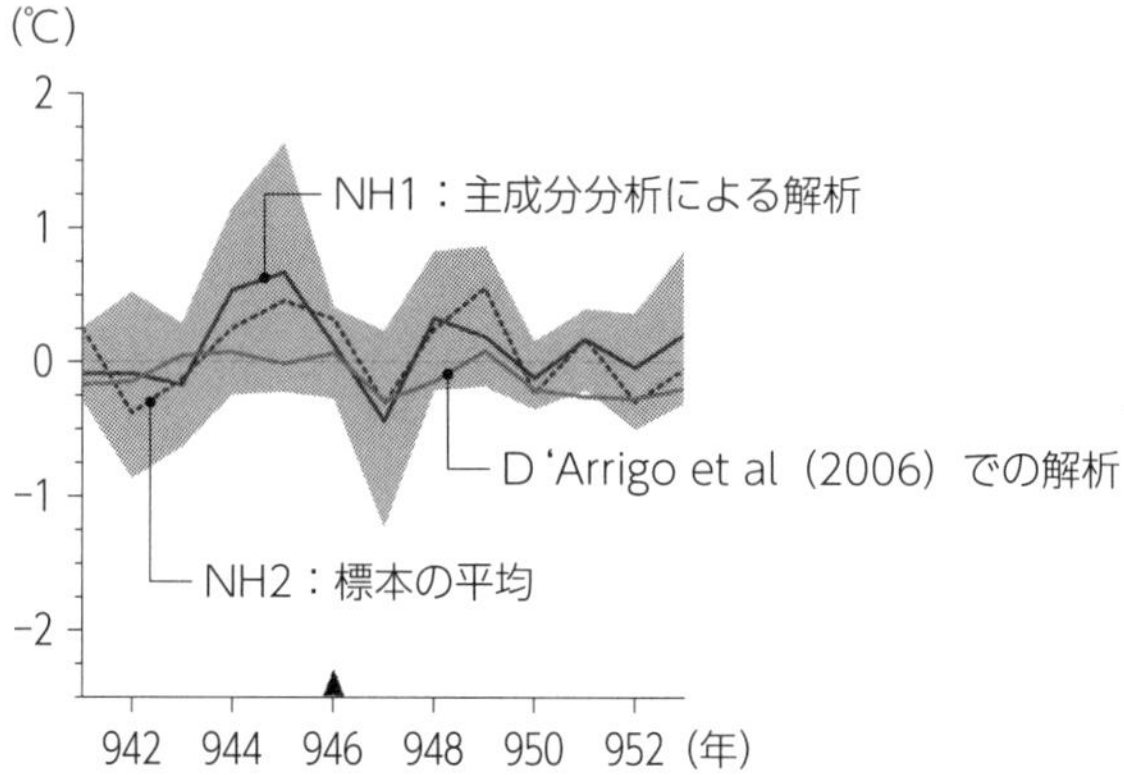

出典：Oppenheimer et al（2017）：Multi-proxy dating the ‘Millennium Eruption’ of Changbaishan to late 946 CE. *Quaternary Science Review* **158** pp. 164-171

受けた。『日本紀略』では、改元後の天暦元年（947）六月五日に大雨、十七日に「霖雨を止める為に臨時に諸社で幣帛が行われた。同月二十二日に霖雨が止まずに農作物の損害多いともあり、このため囚人11人を赦免したと書かれている。巨大火山噴火による異常気象が起きたことを否定できない。そして、この天候不順の中で、㈡で述べたように「疱瘡」と「赤痢」が流行した。

こうしてみると、延喜・天暦の治の実相がうっすらとみえてくる。醍醐天皇の時代は、『延喜式』『古今和歌集』を代表例とするように、文化的事業が興隆を極めた。村上天皇の即位は承平天慶の乱が収まった後であるものの、白頭山の大噴火により京にも火山灰が降り、天候不順といった異常気象による凶作が発生し、さらに疱瘡・赤痢の大流行と天変地異が続く時代であった。村上天皇の時代とは、東西で起きた争乱、白頭山噴火での異常気象、そして疫病からの復興期であった。後から振り返えると、延喜も天暦も輝いた時代にみえたのであろう。

㈤中宮定子の悲劇

▼伊周の失脚

長徳元年（９９５）、道長は五月十一日に内覧の宣旨を受けた後、六月十九日に右大臣に任命された。藤氏長者の地位も引き継ぎ、名実ともにナンバーワンの座を得た。とはいえ、伊周も内大臣の職にあり、道長に次ぐ二番手であった。八月二十九日に伊周は東宮居貞親王（三条天皇）の教育係である東宮傅《とうぐうふ》に任じられており、一条天皇からのそれなりの配慮とみられる。30歳の道長と22歳の伊周は8歳違いで、伊周はまだ若い。一条天皇には他の女御は入内しておらず、妹の定子は中宮としてその寵愛を一身に集めていた。定子に皇子が生まれれば、伊周は外伯父として実権を握る道もあっただろう。伊周は、祖父兼家が次兄の兼通の下で15年間逼塞していたことを思い起こすべきであった。

しかし、伊周は叔父の道長が自分の上席に座ることが我慢できなかった。道兼が相手であれば、果たして伊周はこれほどまでに激しい言動を取ったであろうか。才気走った伊周と歯に衣着せぬ言動の道長という組み合わせが最悪であったのだ。儀式に参列した際に伊周は道長と激しく論争した。殿上での険悪な雰囲気が周囲に伝わったためか、伊周や弟の隆家の従者と道長の従者の間で暴力騒ぎが起きるようになる。

そして翌長徳二年の年初、長徳の変が勃発する。『日本紀略』正月十六日の記述として、「内大臣ならびに中納言隆家の従者が（花山）法皇の御在所を射奉した」とあり、『百錬抄』では加えて「花山院の童子二人が殺害され、首が持ち去られた」と書かれている。『日本紀略』二月十一日に「華山（花山）院の従者と内大臣ならびに中納言の家人の乱闘の人事を明法博士に勘申するように仰せがあった」とされた。一条天皇自身の判断とみられる。そして、四月二十四日、伊周は大宰権帥《ごんのそち》に、隆家は出雲権守へと降格となる。事実上の失脚であった。

伊周と隆家は中関白家の邸宅があった二条北宮に逃げ込んだ。折しも定子は、内裏の凝花舎《ぎょうかしゃ》、内裏に隣接した職曹司《しきのぞうし》、実家の二条北宮と在所を移しており、伊周と隆家は定子の庇護を求めたのだ。しかし五月一日、検非違使は二条北宮に突入し隆家を捕縛した。伊周は逃亡した。状況を目の当たりにした定子は、この日に落飾（出家）した。

さらに定子に災難が降りかかる。六月八日に二条北宮が焼失してしまう。定子からすれば、中関白家はもはや後見者として期待できなくなってしまい、母方である高階明順《なりただ》の邸宅に移動した。一方で一条天皇の寵愛は変わらず、六月二十二日に内裏に入っている。定子の行動について、『百錬抄』長徳二年六月廿二日では「人々は甘心せず（快く思わず）」と世の人の視線の厳しさを伝えている。公卿の世界では、定子はもはやこれまでと感じられたのだろう。七月二十日に藤原公季の女の義子が、そして十一月十三日に藤原顕光の女の元子がそれぞれ入内し、女御の地位についた。

道長は七月二十日に右大臣から左大臣になった。対して伊周は播磨国に逃れた後、十月七日に右衛門佐の源孝道によって定子の在所に隠れていると奏上されてしまう。伊周に対し、十三日に大宰府への追遣の官符が出された。伊周と定子の運命が暗転していく中で、母の貴子は十月二十日頃に没した。『大鏡』は「女のあまりに才賢《さえ》きは。物凶《あ》しき」という世の言葉を紹介し、「いみじう堕落（没落）せられし」はそのためかと述べている。

▼中関白家没落の中での定子の懐妊

こうした事件の最中にあって、定子は一条天皇の子を懐妊していた。十二月十六日、定子は権大納言の平惟仲《これなか》の邸宅で第一皇女の脩子《しゅうし》内親王を出産した。『日本紀略』には懐妊時期について、「出家の後云々」「懐孕《かいよう》十二カ月」と２つの風評を列記している。前者であれば五月一日以後、後者であれば二月頃となる。十六歳の一条天皇は右近内侍から出産報告を受け、十八日に祝いの品として定子に絹百疋、調布五百段、綿五百屯を送った。

翌年の長徳三年（９９７）六月二十二日、一条天皇は定子と職曹司で再会した。脩子内親王と会ったのもこの時が最初で、一条天皇は第一子の脩子内親王を終生可愛がったという。とはいえ、尼姿で参内した定子への世の中の視線は厳しかった。『小右記』には「天下は甘心せず、彼の宮の人々は出家していなかったと称す。大変稀なことだ」と憤っている。[20]

しかし、一条天皇にとっては、定子は他の女御と比べるまでもなく別格だった。『栄花物語』巻第五「浦々の別」では、定子は法体でありかつ伊周・隆家の配流という身の上ながら一条天皇の寵愛を一身に受けたとし、『源氏物語』の桐壺になぞらえている。一条天皇は職曹司では遠いとし、定子を内裏の清涼殿に住まわせ、夜になると訪れたと描かれた。『栄花物語』以外では、定子が内裏の中に住んだことは確認できないが、長保元年（999）三月頃に定子は再び懐妊した。

▼敦康親王の出産と彰子の立后

長保元年八月九日、定子は出産準備のため職曹司から平生昌《なりまさ》の邸宅に移った。生昌は惟仲の弟で前年に但馬守から戻った散位という官職のない人物であった。折しも道長の娘の彰子がこの年の二月九日に着裳を終え従三位に叙され、入内は目前とみられていた。惟仲は道長の不興を買うことを恐れ、弟の生昌に定子を押し付けたのだ。生昌のような「小者」の家に住まなければならないところに、定子を取り巻く環境の厳しさがみえてくる。

清少納言は『枕草子』第五段「大進生昌が家に」で、平生昌をさんざん馬鹿にする。門が小さくて大型の牛車が入らないため、「中宮様をお迎えする家で車が通れない門しかない」と苦言を呈すると、生昌は「家のほどは身のほどにあわせてはべるなり」と笑いながら答えた。『小右記』では「板門屋云々」とあり、板葺屋根の粗末な家であったようだ。また、生昌が備中方言で話すことを清少納言だけでなく女房たちは笑うと、定子はそう笑い物にしないようにと伝え、「いと勤公なるものを」と諭している。

しかし、道長は定子の出産が気がかりだった。一条天皇の母で道長政権の立役者ともいえる詮子が年初から重い病気になり、その快癒を祈って三月二十五日に大赦が実施されたのだが、このことで伊周と隆家の兄弟も赦免され京に戻ることになったからだ。伊周は政治的な力をほとんど失っていたものの、定子が親王を産めば復活の道が開かれるかもしれない。道長は自身の娘の彰子の入内を進めた。

12歳の彰子は十一月一日に入内し、七日に女御となった。

彰子が女御になったその日、定子は敦康《あつやす》親王を産んだ。一条天皇は蔵人頭であった藤原行成《ゆきなり》に気持ちが「快然」だと喜びを隠さなかった。年が明けた長保二年二月十二日、敦康親王は牛車での内裏の出入りを許可する宣旨を受け、定子は第一皇子となる敦康親王を連れて参内した。十八日には敦康親王の百日《ももか》の儀が行われた[21]。

道長は定子に対抗するかのように、前年の暮れから彰子の立后を図っていた。詮子、道長、そして右大弁の藤原行長が一条天皇への説得を続けていたのだ。一条天皇は年末に了承したものの、外に漏らすなと逡巡していた。これに対して、行長は藤原行成が、詮子（皇太后）、遵子（皇后）、そして定子の3人は出家しており、これでは藤原家の祭祀ができないと説得した。また、定子は正妃といっても出家しており、一条天皇の私恩で中宮職を停止していないだけだと主張した。敦康親王の百日の儀の1週間後の二十五日、定子は中宮から皇后へ、そして彰子が中宮となる[22]。

定子は三月二十七日まで内裏で過ごしたが、一条天皇は何度も定子の元を訪れた。『枕草子』第四十六段「職の御曹司の西面の立部のもとにて」では、清少納言が三月晦《つごもり》の早朝に一条天皇と定子の2人と出くわしたと書かれている。この頃、定子は3人目の子を宿した。

▼定子の死

定子は三月二十七日に平生昌の邸宅に戻った。『枕草子』第二百二十三段「御乳母《めのと》の大輔《だいふ》の命婦《みょうぶ》」には、梅雨の時期に定子の乳母が日向国へと去っていく様子を描いている。定子は自ら筆を執り「日向でも私を思い出してほしい」と別れの歌を書いた。清少納言は乳母を見送る定子を「いみじうあわれなり」と嘆く。『枕草子』で清少納言が定子に対して「あはれ」と表現する唯一の場面だ。

『日本紀略』によれば、定子は八月八日に内裏に入り、二十七日まで御所で過ごした。この20日間が一条天皇と会った最後であった。周りから人が去るだけでなく、定子は皇后とはいえ経済的に困窮していた。後見人として伊周や隆家をあてにすることなど到底できず、御修法《みしほ》を行う費用にも欠いていた。このため十月六日、一条天皇がその費用や得度者を用意した。さらに十二月七日には、出産のための調度を定子に渡すよう菅原孝標《たかすえ》に命じている[23]。

そして、『日本紀略』に「皇后定子は十二月十五日に前但馬守平生昌宅にて皇女媄子《びし》を御産」とあり、続けて「十六日、皇后崩給。年廿五、在位十一年」と記されている。媄子を出産したものの、後産が下りなかったのだ。知らせを聞き、一条天皇は深く悲しんだ。葬儀は、十二月二十三日(『権記』)あるいは二十七日(『日本紀略』)に行われた。

『栄花物語』には、定子の死を看取った伊周が御帳の紐に手習いが結わいてあったのを見つける場面がある。そこには「今度はかぎりのたびぞ」とし、「その後(亡き後に)すべきよう」と遺言とともに3首が詠まれていた。

よもすがら契りしことを忘れずは恋ひん涙の色ぞゆかしき
知る人もなき別れ路《ぢ》に今はとて心細くも急ぎたつかな
煙とも雲ともならぬ身なりとも草葉の露をそれとながめよ

一条天皇の定子を悼む歌は『後拾遺和歌集』に収録されている。

野辺までに心ばかりは通《かよ》へどもわが行幸《みゆき》とも知らずやあるらん

▼「幸ひ人」の陰で

『大鏡』冒頭の「雲林院《うんりんいん》の菩提講」で、大宅世継は藤原道長を「幸ひ人におはします」と紹介する。藤原兼家の五男であり、兼家から道隆の系譜が敷かれていた正暦五年の時点で、道長が藤氏長者となり長期政権を築くことになるとは誰ひとり思っていなかっただろう。道隆は長男の伊周を後継者に置いていた。ところが、干ばつの様相の中で疫病が日本中に広がり、道隆と道兼だけでなく公卿上層が相次いで病死してしまった。一躍浮かび上がったのが道長であり、まさに「幸運の人」であった。

では、その反対の不幸あるいは悲劇の人として考えられるのは誰であろう。伊周は頭が良かったかもしれないが、我慢ができずに自滅している。道長の対極といえるのは定子ではないか。彼女の落度はまったくないにもかかわらず、道隆の死を境にしての人生の暗転はあまりに大きい。

定子の残した3人の子供のうち、長女の脩子内親王は一条天皇に引き取られ、終生道長の庇護を受けることを潔しとせず、一条天皇が崩御した後は叔父の隆家の邸宅に身を置いた。最後に産んだ媄子内親王は詮子（東三条院）の養女となったものの9歳で夭逝した。第一皇子の敦康親王は彰子のもとで育てられた。道長からすれば近親の皇子としての価値があったのだが、寛弘五年（１００８）に彰子が第二皇子の敦成親王（後一条天皇）を出産したことで今度は邪魔な存在になった。敦康親王は立太子することがかなわず、20歳で病死した。

『枕草子』は定子が絶頂であった時代を描いている。人生が凋落していった時期の記述もあるが、ほとんどが第五段「大進生昌が家に」のように笑い話としてまとめている。とはいえ、ごくわずか本音を漏らす場面も残っている。第二百六十段「関白殿、二月廿一日に、法興寺といふ御堂にて」の末尾はそうした例だ。定子の素晴しかった時代と今の身の上を比べ、同じお方の身の上とは思えず、気が滅入るとこぼしている。

「されど、そのをり『めでたし』と見立てまつりし御事どもも、今の世の御事どもに見たてまつり比ぶるに、すべて、一つに申すべきにもあらねば、もの憂くて、多かりし事どもも、みなとどめつ」

紫式部は『紫式部日記』消息文の中で、清少納言を賢がって漢字を書き散らかしてもその学力など大したことはないとこきおろす。しかし、定子の周辺の知的レベルの高さを否定することはできなかった。趣《おもむき》のあることを男性陣から話しかけられた時に恥ずかしくない返事ができる女房が本当に少なくなったとの声があるらしいと伝えつつ、私は直接聞いた話ではないので何とも言えないととぼけるしかなかったのだ。

「をかしきこともいひかけられて、いらへ恥なからずすべき人なむ、世にかたくなりにたるをぞ、人々はいひはべるめる。みづから見はべらぬことなれば、え知らずかし[24]」

清少納言は「をかし」、紫式部は「あはれ」の文学だといわれる。しかし、『枕草子』の底抜けの明るさは、暗転する人生の悲哀を隠すものだ。人生はさまざまな偶然により流転していく。その偶然には、個人の勘違い、対人的な心の機微といった人間的なドラマもあろうが、社会や環境といった背景も大きい。その中には天候も含まれよう。誰の身の上にも多くの出来事が降りかかり、つづら折りの道のりを歩むように、人生の風景は激変していく。

第5章　気象と虫害

——徳川吉宗を襲った大飢饉

「紀伊殿を御家継せ給へかしとさゝやきけるに、さては定まり給ひしならむとて、人々なにとなくよろこびあへりしとぞ。衆人かくは渇望し奉りけり。このほど世の諺にもよきものは今の公方様と申けるとなむ」

『徳川実紀』有徳院殿御実紀附録巻二

「公方様（吉宗）御隠居被遊《あそばされ》候、霜月上旬に西之丸へ御移り被遊《あそばされ》、大納言（家重）様将軍に御《お》立《たち》被遊《あそばされ》候、此末《このすえ》御慈悲も可被成《なさるべく》由、末頼母敷《すえたのもしき》皆々悦《よろこび》御事に御座候」

出羽国村山郡谷地郷（村山郡河北町）の農民[1]

(一)第8代将軍、徳川吉宗

▼紀州藩主の将軍就任

正徳六年（1716）四月二十九日、徳川御三家当主の尾張藩徳川継友《つぐとも》、紀州藩徳川吉宗、水戸藩徳川綱条《つなえだ》に対して、江戸城に登るよう報せが来た。3人を前にした老中の土屋政直《まさなお》と側用人の間部詮《まなべあき》房《ふさ》は、徳川家宣正室の天映院が示した意向を伝えた。第7代将軍家継がいよいよ危篤になり、先代（第6代）の家宣の遺訓に従って、紀州藩の吉宗に次の将軍職を依頼したいというものであった。吉宗は門地であれば尾張藩の継友、年齢であれば水戸藩の綱条が適任と辞するが、土屋は重ねて家宣の遺訓だと念押しした。綱条も吉宗に受託すべきと強く発言し、家康との血筋からみれば継友は遠いのに対し、吉宗は曾孫であるとその理由を挙げた。

御三家筆頭の尾張藩では嫡系の4代藩主の徳川吉通《よしみち》が25歳で死に、家督を継いだ息子の五郎太は3歳で夭死していた。吉通については饅頭を食べた後に悶死したという怪しげな噂もあった。尾張藩では緊急措置として吉通の弟の継友が6代藩主となったものの、傍系相続という弱い立場であった。当主が17歳以下の場合に養子縁組ができないという当時の相続法からすれば、外様大名であれば御家断絶の事態ですらあった。[2]

また、水戸藩では藩財政の赤字が大きく、打開策として那珂湊から涸沼を経て北浦に通じる大貫運河と紅葉運河を開削し、奥州との水路を確保することでの収入増に期待した。ところが、2つの運河はすぐに砂で埋まってしまう大失敗となった。労役への不満や年貢増徴への反発が高まり、綱条の領国経営は安定した状況ではなかった。

紀州藩の当主の吉宗は33歳で、紀州藩の家督を継いで既に11年が過ぎていた。その出生は家康の孫にあたる光貞の四男であるものの、「お由りの方」といわれる母は御湯殿番であったところ、光貞の手がついたことでこの世に生まれた。このため、母系は紀州巨勢村の農民、また近江浅井氏の浪人で彦根に住む医者の娘、あるいは西国巡礼の途次に和歌山城下に倒れていた女と定かではない。14歳で将軍綱吉に御目見し、越前国丹生郡の葛野藩主（3万石）となったものの、本来であれば小大名として終わる人生であった。しかし、宝永二年（1705）に綱教および頼職と兄2人が相次いで急死し、紀州藩55万石の5代目の藩主となっていた。

吉宗への徳川将軍への指名は家宣の遺訓によるとされているが、そもそも生前の家宣の意中の人物は尾張藩の吉通であり、死ぬ間際に家継ではなく吉通に将軍を継がせてはどうかと新井白石に相談していた。家宣の名前を使って吉宗を将軍に推挙できるとすれば、それは家宣の正室である天英院しかいない。そして、天英院の意向を受けて吉宗擁立について幕閣に根回ししたのが、老中筆頭の土屋政直であった。『徳川実紀』「有徳院殿御実紀附録巻二」には、天英院が就任を固辞する吉宗を大奥までよび、断ることがないよう説得する様子が書かれている。翌日、第7代将軍の家継は8歳で生涯を閉じた。

▼享保の改革の開始

吉宗の将軍就任を契機として、正徳六年六月二十二日に年号は享保に改まった。享保元年

（1716）から享保六年（1721）にかけて、吉宗は権力基盤の確保を進めた。側用人の間部詮房や側近たる新井白石を罷免し、老中に対して「今後は何事によらず御前へ罷《まか》り出て申し上げるべく候。御直に御聞き被《こうむ》られるべきなる由」と直接相対するよう指示した。

この時代、通貨価値は混乱していた。元禄八年（1695）と宝永七年（1710）に実施した金銀の含有量を低下させる改鋳によって幕府は多額の益金（出目）を得たものの、インフレが亢進した。家宣・家継の時代になると、新井白石の献策により慶長小判への品質回帰として正徳金銀が発行されたが、その結果、金銀含有量の異なる複数の金貨、銀貨が流通することとなった。

吉宗は享保三年に新金銀適用令を発して正徳金銀の質への統一を図り、それ以外の金銀小判の流通は享保七年までと期限を区切った。この政策は物価を安定させる効果はあった。とはいえ金銀の含有量を増やすとは、元禄八年や宝永七年の含有量を減らす改鋳で益金を捻出したのと反対の施策であり、幕府の財政負担を増大させた。

元禄期以降、幕府は財政赤字の体質に陥っていた。宝永六年（1709）二月、新井白石が勘定奉行の荻原重秀《おぎわらしげひで》に問い質した内容が『折たく柴の記』に残されている。荻原は、宝永五年の歳出は140万両に及んだだけでなく、前年三月に焼失した内裏の修復費を加算すると単年の財政赤字はおよそ170万両から180万両であったのに対し、江戸城の御金蔵《おかねぐら》にはわずか37万両しかないと答えている。そして、元禄八年（1695）以降の貨幣改鋳の益金については、総額およそ500万両であったものの、元禄十六年（1703）の元禄地震での江戸城修復でほぼ尽きてしまったと付言した。

享保の時代に入ってから財政をいっそう逼迫させたのが、連年の不作であった。享保六年閏七月に岡山・鳥取・淀藩領などを中心に風水害が発生し、関東地方にも暴風雨が襲ったことで収穫が激減した。当座の施策として、村々での社寺新建の禁止、新奇の書籍出版の禁止、同じく新奇の道具・調度・菓子の製造禁止を発した[3]。

質素倹約は吉宗の信条であり、紀州藩主であったときから実施してきたものだ。紀州藩では町廻《まちまわり》横目《よこめ》という役人を置いて華美な浮世が広がらぬよう監視させた。元禄期以降、1日3食の世の中になっていたが、吉宗はそれ以前の1日2食を貫いた。『徳川実紀』によれば、毎日の食事は辰の刻（午前8時頃）と申の刻（午後4時頃）の2回だけであり、「この二食にて人の養ひは事たるなり。其余《そのあまり》はみな腹の奢《おご》りなり。太平無事の時飽食にならへば、何事ぞありて昼夜奔走し、兵糧ともしくば、もののの用に立まじきなり」と語っていた。

幕府が所領を持たない旗本や御家人に支払う俸禄は切米といわれた。年3回支給され、春借米（二月）と夏借米（五月）に4分の1、冬借米（十月）に残る半分というのがならいとされていた。この頃、切米の総支払額は約百万俵で金額にして33万両ほどであった。しかし、享保六年の不作のためか、享保七年二月には通常の3分の1しか渡されず、五月の夏借米も支給が滞った。

幕府は出入商人への支払い16万両について、金額を3分の2に削減するのに応じるなら一括返済すると伝えた。すると商人はこぞって一括返済を願い出たため、幕府は当座の支出として10万両余りを用意せねばならなくなった。

このような状況の中で、吉宗は財政再建に本格的に着手した。切米の支給遅延が顕在化した享保七年五月、老中の政務担当を慣行として毎月交代する月番制で行っていたのに対し、水野和泉守忠之《ただゆき》を勝手掛《かってがかり》に任命し、その専管事項とした。さらに勘定方の機構の整備に取り組み、翌年には年貢・会計監査・代官部門・御殿詰・金品出納という5つの部門に130人を配属させた。勘定方の組織は享保十八年には186人と充実していくことになる。[4]

(二)水野忠之の財政再建

▼水野忠之が主導した2つの柱

勝手掛老中となった水野忠之(1669~1731)は、岡崎藩主で家康生母のお大の方(伝通院)の家系という譜代大名の中でも名門とされる出身であった。宝永二年に奏者番、正徳元年に若年寄、同四年に京都所司代、享保二年に老中に就任したが、五摂家筆頭の近衛基熙《もとひろ》が「只人にあらず、もっとも聡明、比類なし」と評する秀才であった。[5]

忠之が立案した財政再建策とは、新田開発と税制改革の2つを主軸としたものであった。享保七年七月、江戸日本橋に新田開発の高札が掲げられた。そこには、「諸国に新田となるべき場所があれば、その所の代官・領主・百姓とよく相談し納得させた上、開発の方法をくわしく絵図・書付に記し、五畿内は京都町奉行、西国・中国筋は大坂町奉行所、北国筋・関八州は江戸町奉行所に願出るように」との布告が書かれていた。[6]

この奨励策がきっかけとなり、常陸国の飯沼新田、武蔵国の見沼新田、そして多摩地域の武蔵野新田などが開発された。そして、新田での米増産を見極めた後に、享保十年に新田検地条目を発布し、年貢を徴収する体制を整備していった。その結果、幕領での年貢総額は享保元年から享保十年の平均が１４０万石余であったのに対して、享保十一年から元文元年の10年間では１５６万石余と16万石の年貢増を達成した[7]。

もうひとつの柱である税制改革について、『折たく柴の記』にある新井白石の見立てでは、幕府領での年貢率は四公六民にもかかわらず３割に満たなかったとあり、吉宗と忠之は村民と徴税役人との間に癒着があるとみた。徴税役人が毎年の年貢査定を低くしていたと考え、出来高の実態把握を細かく行う小検見《けみ》を実施することとした。その上で年貢収入の安定を図るため、年貢率を毎年査定する検見法から、５年、10年、20年といった長期間の出来高をもとに年貢率を固定化する定免法への移行を進めた。

さらに享保十二年（１７２７）、幕府領全般にわたって四公六民から五公五民へと増税を課す方針を立てた。ただし、いきなり一律１割の増税を強行したのではなく、代官に対し村民との協議を求めた。村民の納得が得られた場合に定免制とセットで増税し、納得が得られない場合は毎年の協議によって説得するという地道なやり方で進めていった[8]。

とはいえ、新田開発も税制改革も長期的な視野に立つ施策であり、享保七年の切米の支給遅延という緊急事態への即効性はない。同年七月に忠之が提案したのは、上米《あげまい》の制であった。譜代・外様を問わず諸大名に石高１万石につき１００石の割合で献米させるというものだ。諸大名にとっては突然幕府への新しい税金が創設されたに他ならない。100万石とされる加賀藩の場合など1万石を上納することになる。諸大名の一方的な負担にならないよう江戸への参勤期間をそれまでの1年から半年に短縮するという懐柔策もセットであったものの、幕府の権威が大きく損なわれる懸念すらあった。上米の制を発する御触書には、御家人数百人を罷免しないためにはやむを得ないものであり、「御恥辱を不被顧《かえりみられず》被仰出候《おおせいだされそうろう》」と吉宗の忸怩たる心境を伝えている。[9]

▼財政再建の達成と水野忠之の退場

水野忠之の財政再建策は功を奏した。享保七年から享保十六年までの10年間は年平均およそ3万5000石、金額にして約12万7000両の財政黒字を達成し、享保十五年頃には奥金蔵に100万両余りが貯蓄された。この年、評判の悪かった上米の制は廃止となった。そして財政にゆとりが出たためか、吉宗は享保十三年（1728）に日光東照宮への参詣を果たした。第4代将軍の家綱が寛文三年（1663）に行って以来65年振りのものであった。[10]

吉宗は忠之に報いるとして、享保十年に三河の碧海・額田・加茂・宝飯・設楽の5郡の地を対象に1万石を加増した。しかし、税制改革を行った忠之に対して世間の目は冷たかった。勝手掛就任当初から、「無理で人をこまらせるもの、生酔《なまよい》と水野和泉守」と落書がされた。享保十年の物づくしでは、「にくいもの、水野和泉守」「わるいもの、水野和泉守と懐中おはぐろ」と批判を受けた。[11]

享保十五年六月十二日、吉宗は忠之をよび、備前義景の銘刀を渡しながら最近は病がちで重責に耐えられないだろうとし、老中を免じると伝えた。そして、今後は次男の忠輝が小大名や旗本の仕官する菊の間に入るよう付言した。引退勧告といえる内容であった。罷免の本当の理由については、『徳川実紀』有徳院殿御実紀附録巻六の中で、忠之は財政担当として節約を実施してきたものの、「人心服せざる事ども有りしかば、やむをえず職を免され」としている。吉宗のもとには目付からの報告が届いており、そこには忠之の冷徹な政務の執行に世の中は恐れ、景気が沈滞しているとあった[12]。

吉宗は忠之を罷免した後、他の老中を勝手掛に任命しなかった。吉宗にとって勝手掛とは、財政緊急事態に対しての特命担当という意味合いがあったのだろう。そして、財政問題が一段落したことで、世間の不評を一身に浴びていた忠之に引退を命じてけじめにしたと考えられる。

水野忠之は翌月隠居し、家督を忠輝に譲った。そして、翌年の享保十六年三月に63歳で生涯を閉じた。水野家はその後、三河岡崎藩から備前唐津藩、遠州浜松藩へと転封されていくが、幕末まで命脈を保ち、明治維新後は子爵となった。忠之の6代後に浜松藩主の忠邦は老中に登用され、天保の改革を主導することになる。

(三)ウンカがもたらした享保の飢饉

▼下落する米相場の買い支え

財政健全化を確固たるものにした享保十五年（1730）において、吉宗にとって残された政策課題は米相場の下落傾向であった。将軍に就任した享保元年に肥後米一石は大坂で銀130匁であったものが、水野忠之を勝手掛に任命した享保七年六月に銀72匁となり、享保八年には銀41匁まで下落した。その後も下落は続く、享保九年に広島米は大坂で銀43匁であったのに対し、享保十五年には銀29・8匁へと下がり続けていた[13]。

新田開発によって米が増産され供給過剰が恒常化する一方、貨幣は金銀の生産量が減少する中で慶長小判にならった品質を維持したことから貨幣不足の状況にあった。今から考えれば、数量と価格の調整が働いて米の単価が下がるという現象は、経済学でいう貨幣数量説からみて当然のことであった。その一方で米以外の商品への需要は高まるばかりであり、結果的に米価だけが下落していた。当時、この物価問題は「米価安の諸色高《しょしき》」と表現された。

吉宗はまず、相場を仕切る商人の力を利用しようと試みた。享保十年十一月に江戸商人3名に対して、大坂での米会所の設立を認可し、ここで米価の維持と統制を行うのだ。しかし、米価が下落を続ける中で大坂商人は江戸商人の主導する相場操作に反抗し、享保十五年八月に従来通りの自由な取引という裁定を勝ち取った。商人による取引による米相場の浮揚は容易ではなかった[14]。

米価下落の対策として商人をあてにできなくなった幕府は、自ら凶作対策として余剰米の備蓄を開始した。享保十五年七月、大岡忠相に命じて、置籾という籾殻を残した形で60万石を買い入れた。入札ゆえ実際の購入額がいくらであったかは不明だが、当時の実勢相場である米一石がおよそ銀30匁、一両が銀60匁程度であったとするならば、約30万両に相当する。幕府財政に余裕が出たからこそ可能になった政策であった。吉宗は翌月には諸大名に対しても、凶作への対策のために置籾を心得るべしと伝えている。これらの政策の実施から、吉宗は世間から「米将軍」「米公方」と称された[15][16][17]。

かくして、幕府・諸大名が一致して余剰米を買い上げたことが需給に反映したのか、享保十六年には京都および大坂で米一石あたり銀5匁ほど上昇し、下落傾向に底打ち感が出ている。大金を投じて米の価格を引き上げる政策が果たして持続的なものであったか首を傾げるが、とりあえずの効果はあった。ところが、その翌年の享保十七年（1732）後半に西日本全域にわたる天災が発生する。

▼西日本を襲った蝗害

『徳川実紀』には享保十七年九月以降、「蝗災《こうさい》」との言葉が登場する。江戸時代を通して大きな飢饉は6回を数えるが、この中で享保の飢饉は他の飢饉と比較して異彩を放っている。他の5回の飢饉は、その原因はさまざまであるものの冷害に由来する気象災害であり、飢饉に見舞われた地域は東北地方が中心であった。これに対し、享保の飢饉だけは冷害とは無関係の蝗害によるもので、対象地域も他の5回の飢饉のように東日本ではなく、西日本で発生した[18](表5-1)。

「蝗災」という文字からイナゴの大量発生と思われるかもしれないが、これは虫害の総称である。虫害の歴史は古く、史実としてはっきり確認できる初出は『続日本紀』景雲元年八月五日（704年9月9日）の記述の「伊勢・伊賀の二国に蝗による被害があった」というものだ。『続日本紀』の扱う697年から791年の94年間において、虫害の発生した国の延べ数は25を数える。そして、虫害が広域に広がると飢饉となる。国立国会図書館の中島陽一郎氏の集計によれば、567年から1975年までのおよそ1400年間の天災による飢饉発生において、虫害によるものは3・3%にあたるという[19][20](図5-1)。

表5－1　江戸時代の六大飢饉

	発生期間（年）	主な地域	原因と考えられるもの
寛永の飢饉	1641～1643	東北地方（冷害） 西日本（水害）	冷害と水害（太陽活動低迷期、火山噴火）
元禄の飢饉	1695～1702	東北地方	冷害（太陽活動低迷期）
享保の飢饉	1732～1733	西日本	蝗害
宝暦の飢饉	1755～1756	東北地方	冷害（ヤマセ型）
天明の飢饉	1783～1787	東北地方	冷害（エルニーニョ現象、火山噴火）
天保の飢饉	1833～1838	東北地方・ 本州日本海側	冷害（ヤマセ型、シベリア寒気、火山噴火）

出典：拙著（2019）『気候で読む日本史』

図5－1　天災由来の飢饉の発生比率（567～1975年）

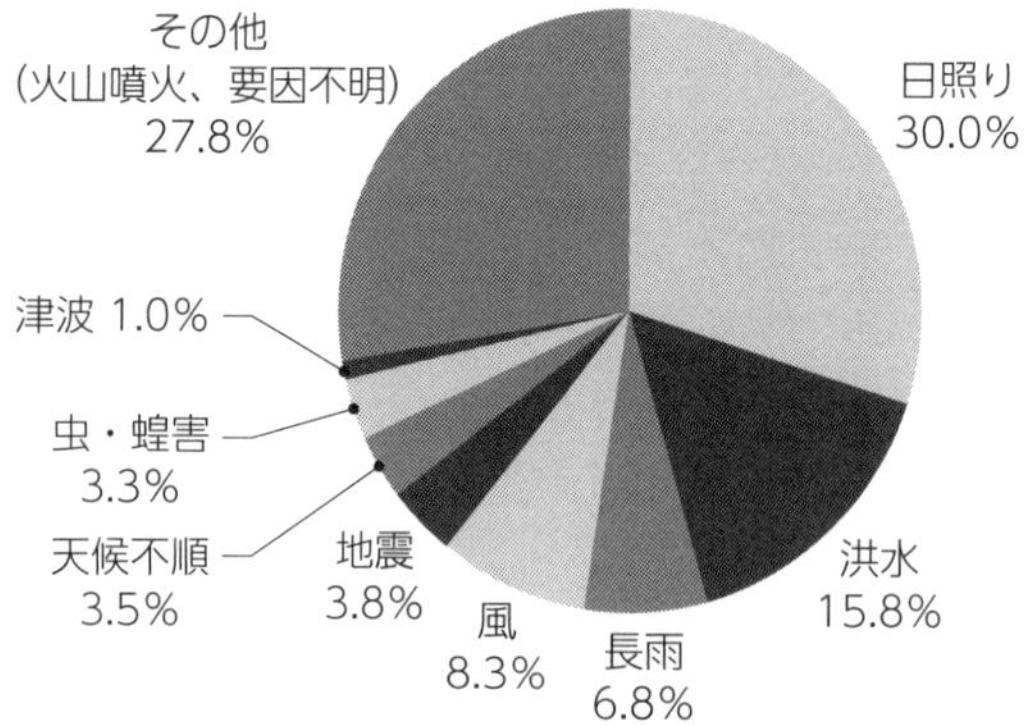

出典：中島陽一郎（1976）飢饉日本史. p.40

虫害が、イナゴをイメージするような身体が比較的大きなバッタ類によるものとは限らない。享保十七年の「蝗災」をもたらした種は、各地の文書で「いもち虫」「うんか」「さばい」「あまご」と記載されており、明治以降に「浮塵子《うんか》」と漢字が当てられるものだ。

ウンカにもいくつかの種があるが、この年の災害をもたらしたのはセジロウンカとトビイロウンカだ。いずれも成虫で体長が4ミリから5ミリしかない。けれども、長く伸びる口吻をイネの導管に差し込み、イネの中の水分や栄養分を吸い取る。吸汁害だけでなく、卵を産むために茎を切り裂くためイネそのものも枯れてしまう。セジロウンカは7月下旬から8月に若いイネに群がるため夏ウンカという名前がつけられ、トビイロウンカは出穂期から登熟期のイネにつくことから秋ウンカと別の名前でよばれた。以下にみるように、享保の飢饉では、最初にセジロウンカ、そして次にトビイロウンカと2段階で虫害に見舞われた。ウンカによる虫害がやっかいなのは、短期間で親から第一世代、第二世代、さらに第三世代へと増え続けることだ。最初にイネについた親の個体数に対し、各世代でそれぞれ10倍以上に増え、第三世代では１０００倍を超える。

▼ウンカはどのようにして大発生したのか：内地越冬説と海外飛来説

では、ウンカはどういう経緯で大発生するのか。享保十七年当時は、まったくその原因はわからなかった。害虫の被害を防ぐ方策も「虫送り」「虫追い」といって、松明をかざして藁人形を手に持ち、水田の畦道を歩き回るものだった。確かに、松明の光に向かって虫が集まり焼死するという効果はあった。とはいえ、藁で勇壮な武者人形を作る行為まで考えると、害虫に対抗しようとの農民の切実な気持ちが伝わってくる。

ウンカの由来について科学的な研究が始まるのは明治時代に入ってからだ。明治三十年（1897）に北陸を中心に全国ほとんどの地域でウンカが大発生し、水稲の収穫量は前年比9・0％減少の489万トンに減収した。この凶作がきっかけとなり、農事試験場に昆虫部が設立された。セジロウンカとトビイロウンカは明治三十六年（1903）、明治四十五年（1912）、大正十三年（1924）と日本の広い地域で大発生し、害虫への関心は高まっていった。

とはいえ、同部での調査研究はウンカの種類や発生分布、そして原油を水田に流す駆除法の効果検証が中心であった。村田藤七は植物検査所などに長年勤務した水稲につく害虫の専門家で、昭和二年（1927）に『病虫害雑誌』に書いた報告「稲の螟虫及び浮塵子に就いて」でウンカの発生原因について議論を起こしている。村田は養虫室の中のセジロウンカとトビイロウンカは12月の低温になると死滅しており、越冬できないとし、内地越冬説を否定した。それまでウンカの発生が国内由来だろうとした見方に対して転換を促す意見を示したのだ。

そして、村田の同僚で植物検疫の仕事に就いていた平野伊一が、温暖な地域からの飛来説を打ち出した。昭和七年（1932）の村田との共著論文の中で、セジロウンカとトビイロウンカはヒメトビウンカと違って休眠性がないことから日本の冬の一般的な田畑では生存できないであろうとし、であれば越冬地とは「冬季といえども相当高温を保ちかつ浮塵子の食餌に欠くる所なき地、おそらくは本土最南端の地方なりと思慮せらる」と予想した。ここでいう「本土最南端の地方」とは、当時、日本の領土であった台湾のことだ。

しかし、国内越冬説は根強かった。九州大学の昆虫学教授の江崎悌三は「海外より毎年移入し来るものなりとの想像をたくましくするものありといえども、このごときは到底想到することを得ず」とした。また、農業技術研究所で病理昆虫部長を務めた湯浅啓温は、遠隔地からの移動よりも近くの国内での越冬の可能性を検証すべきと主張した。湯浅はウンカには常習発生地があり、そこのいずれかに「壺」という越冬可能な場所があるに違いないと考えた[21]。

戦後になっても、内地越冬説と海外飛来説での議論が続き、どちらかというと内地越冬説が優勢であった。農林省病中発生特別報告の第20号（1965）および第22号（1968）では、内地越冬説に集約されつつあると明記された。セジロウンカとトビイロウンカの日本列島での越冬事例は発見されていなかったにもかかわらず、体長わずか5ミリ以下の両ウンカが東シナ海の洋上という長距離を移動するのは現実的でないと考えられていたからだ。そもそも実証研究という意味では、2つの説とも難があり「仮説」の域に留まっていた。内地越冬説では幼虫でも成虫でも日本列島のいずれの地域でも越冬事例が確認できておらず、海外飛来説では洋上をウンカが移動する事例は発見されず、小さな身体でどうやって海洋上の長距離移動を行うのかというロジック面にも弱さがあった[22]。

決着がついたのは、昭和40年代に入ってからだ。この時期に2つの大きな発見があった。

▼南方定点でのウンカの発見

観測器を用いた継続的な気象観測は17世紀にイングランドで始まり、欧州とアメリカを中心に300年以上の歴史を持つ。とはいえ当初の観測地点は地上ばかりであり、海洋となると小さな島を除いて定点観測できない空白域が広がっていた。アメリカは第二次世界大戦において、軍艦の安全運航を行うための気象データの収集を目的とし、太平洋と大西洋に各20隻以上の気象観測船を配備した。

その実績を踏まえ、戦後も洋上での定点観測は続けられた。アメリカとイギリスが主導する形で北太平洋や北大西洋の18カ所に常時観測船が置かれ、定期的な気象観測データの収集が実施された。日本はGHQの要請により、1947年10月から三陸沖の北方定点（X点、北緯35度、東経153度）、そして1948年8月から潮岬沖の南方定点（T点、北緯19度、東経135度）の二カ所を分担した。[23]

定点観測船は15日から20日ごとに交代する。このためひとつの定点において少なくとも2隻の観測船が必要となる。海上保安庁が所有する巡視艇を観測船とし、観測長をリーダーとする気象庁（当初は中央気象台）の若手職員が乗船した。1時間ごとの海上気象観測、1日2回のラジオゾンデ（観測気球）の実施、海洋観測などが行われた。

北方定点での観測は1953年にアメリカが不要と通達したことで廃止になったものの、南方定点での観測は日本に上陸する台風の進路上になることから、気象庁定点観測部（後に海洋気象部）の経費で観測が続けられた。しかし、これも経費負担が大きく、1981年に気象衛星ひまわりの運用が開始されたことで廃止され、現在では観測ブイや気象衛星による観測に代替されている。気象庁は2010年以降、凌風丸と啓風丸という2隻の気象観測船を運用しているが、定点観測ではなく日本近海を中心に洋上を航海しながら気象データの取得を行うものだ。

1967年7月17日、この南方定点にあたる潮岬南方500キロ、種子島の南東450キロの海域で、定点観測船「おじか」（第2代、のじま型巡視艇PL12）がセジロウンカとトビイロウンカの大群を発見した。「おじか」の気象長であった鶴岡保明技官によれば、船の灯火に集まった小型昆虫は15日夜の2匹に始まり、16日夜に数千匹と数が増え、17日には日中でも目視できるほどの粉雪が舞うような大群であったという。小型昆虫は採取され、愛媛大学の石原保教授により「少数のトビイロウンカを含むセジロウンカ」と確認された。

この発見は、同年10月11日に東京文化会館で開催された日本昆虫学会創立50周年記念講演において、国立予防衛生研究所衛生昆虫部長で学術博士の朝比奈正二郎により発表された。朝比奈はウンカが気流に乗って飛んでいると推測し、日本の夏に南風が吹けば南方定点から日本列島まで飛来する可能性があると説明した。新聞報道では、発生原因がわからなかった「神秘の虫」であるウンカの実態が解明されつつあるとし、ウンカによる虫害対策は大きく前進するであろうとの期待が込められた[24]。

▼梅雨前線南側の下層ジェット気流

風は気圧の高いところから低いところに向かって流れるが、地球の自転の要素が加わると北半球では風向きは右へと方向を変える（コリオリ効果）。これが偏西風の正体で、対流圏では上空にいくほど南北の気圧差とともに気温の差が大きくなることから、偏西風の風速も大きくなる。風速がもっとも大きい風の流れをジェット気流とよぶ。日本付近を流れるジェット気流には、主に北側の寒帯前線ジェット気流と南側の亜熱帯ジェット気流の2本があるが、それぞれ温帯と寒帯、亜熱帯と温帯という気温の異なる気団の境目になっている。

この一般的なジェット気流とは別に、上空2000メートルから3000メートルといった高度の低いところでも風が強くなる現象があることが知られている。下層ジェット気流と名づけられているもので、北米大陸の大平原、カリブ海、アフリカ東部沿岸（ソマリ）が代表例であり、気圧配置や地形などを要因とする現象である。日本付近で吹く下層ジェット気流として、梅雨前線の南側から前線に向かって流れる毎秒20メートル以上の強風がある。この強風は中国の長江流域から東シナ海を経て湿度の高い空気を運んでくる。

　湿度の高い空気は、中国から日本列島に向かって人間の舌のように伸びていることから湿舌といわれている。西日本では、東シナ海から渡来する湿舌と太平洋高気圧をめぐる暖湿度流が合流する地点で積乱雲が発達する。この2つの異なる暖かい気団が、梅雨期の西日本で集中豪雨が発生するメカニズムのひとつになっている（図5－2）。

図5－2　梅雨期の下層ジェット気流と湿舌

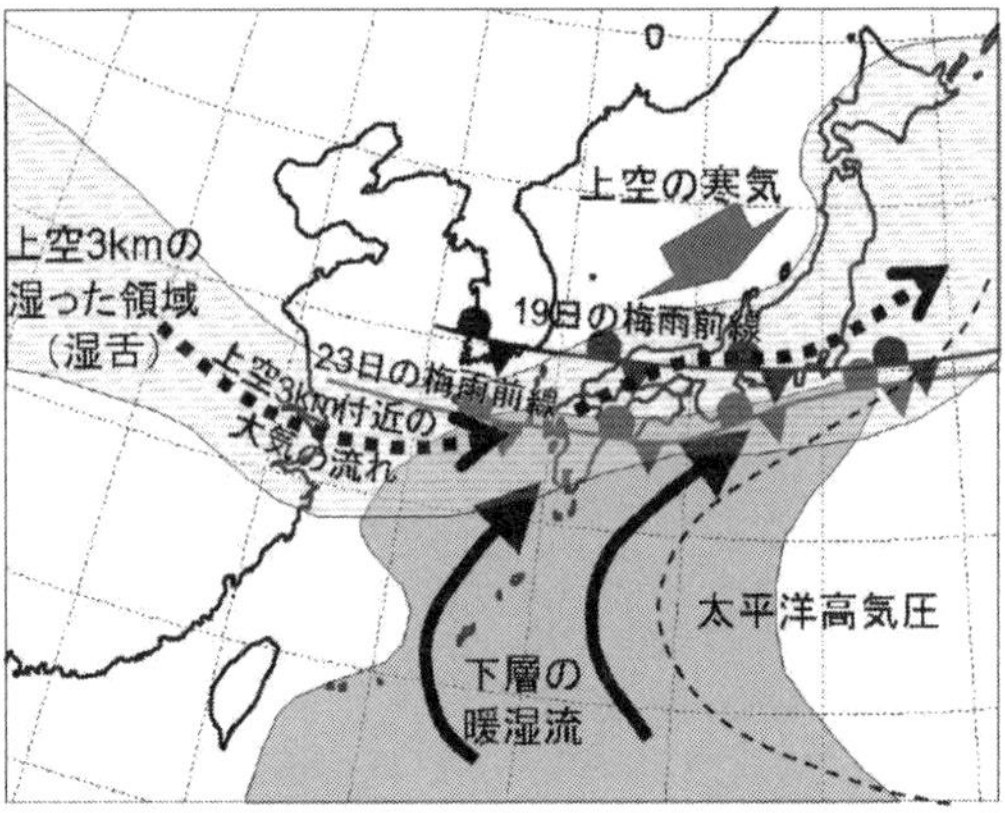

2016年7月18日から23日の平均的な大気の流れ。
点線の大気の流れのうち、風速が大きい箇所が下層ジェット気流とよばれる。

出典：加藤輝之（2010）湿舌．天気　2010年12月

　発生原因の大本である下層ジェット気流は、気象の研究者や予報官の間で1960年代から注目された現象であった。どのような自然のメカニズムでこのような強風が発生するのか。1970年代か

らその要因を突きとめようとする研究は進展した。仮説としては、対流圏の高い高度にあるジェット気流に対応して上昇気流・下降気流が発生して前線に向かって下層の空気が流れ込むことに起因するのか、積乱雲の発生で水蒸気が凝結すると潜熱が解放されて気圧差が生じるために風の流れが加速されているのか、あるいは地球の自転によるコリオリ効果が関係するのではないかといった説が提唱された。有力視されているのは水蒸気の凝結と潜熱の解放による気圧差によるとするものだ。[25][26]

ともあれ、ウンカの発生由来は科学的に解明されたといっていいだろう。セジロウンカとトビイロウンカは日本では越冬はできない。これらのウンカは台湾や中国南部で冬を過ごし、春になって南風に乗って長江流域まで北上する。その後、梅雨前線に伴う下層ジェット気流という上空３０００メートル付近で毎秒20メートルの強い南西風に乗り、体長５ミリ以下の小さなウンカはわずか１日から１日半で日本列島まで運ばれて来るのだ。

㈣飢饉の様相と幕府の対策

▼享保十七年の梅雨

享保十七年（１７３２）の梅雨にはどのような傾向があったか。肥前諫早藩、豊後佐伯藩、摂津伊丹藩の日記をもとに五月から七月にかけての天気の推移を示したのが表５−２だ。梅雨入りは佐賀が

五月

	十六	十七	十八	十九	二十	二一	二二	二三	二四	二五	二六	二七	二八	二九
	6/8	6/9	6/10	6/11	6/12	6/13	6/14	6/15	6/16	6/17	6/18	6/19	6/20	6/21
	●	●	●	●	⦶	⦶	⦶	⦶	⦶	⦶	⦶	⦶	⦶	⦶
	◎	◎●	◎	◎◒	◎	⦶	◎	⦶	◎	●	◎●	◎	⦶	⦶
	⦶	◎	◎	●	●	●◎	⦶	⦶	◎●	◎	●	●	⦶	⦶

閏五月

	十六	十七	十八	十九	二十	二一	二二	二三	二四	二五	二六	二七	二八	二九	三十
	7/7	7/8	7/9	7/10	7/11	7/12	7/13	7/14	7/15	7/16	7/17	7/18	7/19	7/20	7/21
	●	●	●	●	—	●	●	●	●	●	⦶	⦶	⦶	⦶	⦶
	⦶	⦶	◎●	◎	◎	◎	◎●	●	⦶●	◎●	◎●	◎	⦶	⦶	⦶
	◎	⦶	⦶●	◎⦶	⦶●	⦶◎	◎	—	⦶	●	◎●	●	⦶	⦶	◎◒

六月

	十六	十七	十八	十九	二十	二一	二二	二三	二四	二五	二六	二七	二八	二九
	8/6	8/7	8/8	8/9	8/10	8/11	8/12	8/13	8/14	8/15	8/16	8/17	8/18	8/19
	⦶	⦶	⦶	⦶	⦶	⦶	⦶	⦶	⦶●	⦶	⦶●	⦶	⦶	●
	⦶	◎●	◎●	◎●	⦶	⦶	◎●	●	⦶	◎⦶	⦶◒	⦶	⦶	⦶
	◎●	◎⦶	⦶	⦶	⦶	⦶	⦶	⦶	⦶	⦶	⦶	⦶	⦶	⦶

七月

	十六	十七	十八	十九	二十	二一	二二	二三	二四	二五	二六	二七	二八	二九	三十
	9/4	9/5	9/6	9/7	9/8	9/9	9/10	9/11	9/12	9/13	9/14	9/15	9/16	9/17	9/18
	⦶◒	⦶●	⦶	⦶	⦶	⦶	⦶	⦶	●⦶	⦶	⦶	⦶	⦶	⦶	⦶
	◎●	⦶◒	⦶	⦶	⦶	⦶	⦶	⦶	●◎	⦶	●◎	⦶	⦶	◎	◎
	⦶	⦶	⦶	—	⦶	⦶	⦶	⦶●	●◎	⦶	⦶	⦶	—	⦶	⦶

表5－2　享保十七年の飢饉時の西日本各地の天気

和暦	五月														
	一	二	三	四	五	六	七	八	九	十	十一	十二	十三	十四	十五
西暦	5/24	5/25	5/26	5/27	5/28	5/29	5/30	5/31	6/1	6/2	6/3	6/4	6/5	6/6	6/7
佐賀	●	⦶	⦶	⦶	⦶	⦶	⦶	●	●	⦶	⦶	⦶	●	⦶	⦶
佐伯	●	⦶	⦶	⦶	⦶	⦶	◎●	◎	⦶	⦶	⦶	◎	◎●	⦶	⦶
伊丹	⦶	⦶	⦶	◎	◎⦶	―	◎	●	⦶	⦶	⦶	⦶	⦶	⦶	⦶

和暦	閏五月														
	一	二	三	四	五	六	七	八	九	十	十一	十二	十三	十四	十五
西暦	6/22	6/23	6/24	6/25	6/26	6/27	6/28	6/29	6/30	7/1	7/2	7/3	7/4	7/5	7/6
佐賀	●	⦶	⦶	●	⦶	●	●	●	●	●	●	●	●	◎	●
佐伯	⦶	◎●	●	●⦶	◎	⦶◎	●	●	●◎	●	●	◎⦶	●	●	●
伊丹	⦶	⦶	◎●	●	⦶●	●	●	●	●	●	●	●	●	●	⦶

和暦	六月														
	一	二	三	四	五	六	七	八	九	十	十一	十二	十三	十四	十五
西暦	7/22	7/23	7/24	7/25	7/26	7/27	7/28	7/29	7/30	7/31	8/1	8/2	8/3	8/4	8/5
佐賀	⦶	⦶	⦶	⦶	●	⦶	⦶●	⦶	⦶	⦶	⦶	⦶	⦶	⦶	⦶
佐伯	⦶	⦶	⦶	◎●	●	◎⦶	⦶	⦶	⦶	⦶	⦶	⦶	⦶	⦶	⦶
伊丹	⦶	⦶	●	●	●◒	●	⦶	⦶	⦶	⦶	⦶	⦶	⦶	⦶	⦶

和暦	七月														
	一	二	三	四	五	六	七	八	九	十	十一	十二	十三	十四	十五
西暦	8/20	8/21	8/22	8/23	8/24	8/25	8/26	8/27	8/28	8/29	8/30	8/31	9/1	9/2	9/3
佐賀	◒	◎	◒	⦶	●	◎	●	―	⦶●	⦶●	⦶●	⦶	⦶	⦶	⦶
佐伯	⦶	⦶	⦶	⦶●	◎●	●⦶	●	◎●	⦶	⦶	⦶●	⦶	⦶	●⦶	⦶●
伊丹	⦶	⦶◒	◎⦶	⦶	⦶	―	⦶●	⦶	⦶	⦶	⦶●	⦶	⦶	⦶	⦶

⦶＝晴、◎＝曇、●＝雨、◒＝雷雨

注：西暦はグレゴリウス暦のもの。

出典：池内長良（1992）：享保17（1732）年の稲作における水損・蝗害と注油情報の伝搬.（表は著者改編）日記の原典は、『諫早日記』『佐賀藩諸役所日記』『佐伯藩御番頭御用日記』、『八尾八左衛門日記』による。

五月十六日（6月8日）、佐伯が五月十七日（6月9日）、そして伊丹が五月十九日（6月11日）であろう。梅雨明けは閏五月二十八日（7月19日）あたりの可能性もあるが、明確なのは六月七日（7月28日）だ。現在の九州北部地方および近畿地方での梅雨の期間は、平年でそれぞれ6月5日から7月19日、6月7日から7月21日であり、享保十七年は梅雨明けがやや遅かった感がある。

雨の降った日数をみると、グレゴリオ暦の6月では佐賀が12日、佐伯が11日、伊丹が13日、また7月では佐賀が16日、佐伯が13日、伊丹が15日だ。今日の平年値で降水量が1ミリメートル以上あった日数で比較すると、グレゴリウス暦の6月では佐賀が12・0日、佐伯が13・6日、豊中（伊丹の近傍）が11・5日、また7月では佐賀が11・7日、佐伯が12・1日、豊中が10・5日である。雨の日数をみる限りでは、享保十七年の梅雨に大きな特徴はない。

しかし、雨の降り方には激しいものがあった。佐賀で閏五月六日（6月27日）から、佐伯で閏五月二日（6月23日）から、そして伊丹で閏五月三日（6月24日）から、それぞれ1週間から2週間以上という長雨となった。梅雨前線が活発化し、近畿から九州北部にかけて長期間居座ったと考えられる。『日本災異志』の記述から、降水量は非常に多かったことがわかる。この年は「西海、山陽、南海、諸国霖雨洪水」とあり、西海道（九州地方）、山陽道（中国地方）、南海道（四国地方）で長雨による洪水があったとされ、「各々其ノ損害ヲ被リタルコト少ナカラズ」とまとめている。享保十七年の西日本では雨の降る日数こそ平年並みとはいえ、降水量は洪水による災害を起こすほどであったのだ。災害が発生していない地域でも、イネの生長は不順であった。伊丹での日記には、「今年ハ暑気強カラズ雨多ク、作毛心モトナシ」と書かれている。[27]

▼夏ウンカと秋ウンカ

閏五月初旬から中旬にかけて活発化した梅雨前線の南側では、下層ジェット気流による南西からの強風が吹き、この風が西日本にセジロウンカとトビイロウンカを運んできた。ウンカが飛来したことを示す初期の記録として明確なものは、肥前大村領の「閏五月二十日（7月11日）過ぎより粉糟虫所々田間ニ相見」である。梅雨前線による雨が続くまさにその時期にあたる。久留米では六月一日（7月22日）、村民が１００人といった人数で水田で毎日虫をすくい、その量は一反あたり「三、四斗」とある。10アールの田から一升瓶にして30本から40本分のウンカが取れたというのだ。

各地の記録から、ウンカの発生は六月上旬に九州北部、中旬に四国地方、下旬に中国地方、七月上旬に近畿地方へと拡大し、被害が深刻化していったことがわかる。『佐伯藩御番頭御用日記』には、六月七日（7月28日）に虫付きがあったと記録されている。その後、七月十六日（9月4日）に「晴天無之、村々田方虫付候儀」とあり、秋晴れの中でセジロウンカが大発生した様子が見て取れる。伊予吉田藩の七月二十六日（9月12日）の注進では「七月上旬、殊《こと》之外《ほか》暑強虫付弥増《いやまし》ニ罷成《まかりなる》」と同地での8月下旬の猛暑とセジロウンカの増大を関係付けている。夜間に松明を持って人形を手に田の畔を歩く「虫送り」とともに、当時行われていた対処策は雨乞いの祈禱であった。雨が降れば虫はイネから流れるだろうとの発想によるものだ。

前述したように、セジロウンカは若いイネに群がるため夏ウンカ、トビイロウンカは登熟期のイネにつく秋ウンカとよばれる。ウンカによる虫害といっても、七月上旬（8月下旬）に主体が代わった。『諫早日記』七月十七日条（9月5日）に、「其《それ》以後相残候《あいのこりそうろう》田ニ《に》弐番虫入申《はいりもうし》弥増《いやまし》候」とあり、この「弐番虫」がトビイロウンカだ。この「秋ウンカ」たるトビイロウンカが、セジロウンカの被害から逃れて残っていたイネを食い尽くしていった。かくして、享保十七年のセジロウンカとトビイロウンカによる虫害は近畿地方から九州地方南部までの西日本全域に及び、米の生産に甚大な被害を与えて大飢饉をもたらした。

▼災害地への回米と拝借金

当時、各藩は気象災害などで米が凶作に陥った際には、その状況を幕府に損耗届として提出していた。参勤交代の軽減、幕府が諸大名に指示する手伝普請の免除、そして凶作地域への金銭や支援物資による直接的救済を策定する上で、損耗届が基礎資料となっていたからだ。このため、享保十七年の蝗害（虫害）についても、諸大名は積極的に損耗届を提出しており、これらは飢饉の被害とともに『虫附損毛留書』としてまとめられている。

幕府の対策は迅速であった。老中の松平左近将監《さこんのしょうげん》乗邑《のりさと》（1686～1746）の所管とし、江戸町奉行の大岡忠相、勘定奉行の杉岡能連《よしつら》といったメンバーが担当した。八月には西日本での米不足が明らかとなり、東海・東山・北陸の所領からの米は大坂に回米として輸送すると定められた。さらに九月一日（10月19日）に、この年の場合は単に大坂に米を置くだけでなく、災害地まで大量に輸送する方針が立てられた。そして、九月二十二日（11月10日）に勘定吟味役は食糧不足への対応として、救援食料の輸送を具体的に指示するため大坂に向かった。

西日本の災害地に向けられた回米は、大坂御蔵囲米5万石、江戸買米3万石、幕府年貢米10万石、諸国城詰御用米9万5525石、合計27万5525石となる。緊急時にこれだけの米を用意できたのは、本来の目的が米価下落への対処だったとはいえ、享保十五年の置籾の実施が功を奏した形であった。

救済策は米ばかりではなかった。『徳川実紀』九月二十七日（11月15日）に「四海山陽四國蝗災にかゝり飢饉のよしきこゆ」とし、凶作にあった諸大名に救援資金として拝借金の支給が決定され、勘定奉行の杉岡能連が責任者となった。同年の年貢収納高が過去5年（享保十二年から十六年）の平均の半分以下であった場合に大坂の幕府金庫から貸し与えるもので、石高に応じて金額が設定され、借入期間は5年とされた。表5-3が対象となった各藩と拝借金の額である。[28][29]

十月一日（11月18日）、幕領に対して被害の大きい地域においては翌年の税額も半減するよう指示した。加えて幕領や諸大名の私領を問わず、駿河・遠江・三河・伊勢の米は江戸に送ることを留めて、その後の指示を待つようにと発している。同月五日には勘定徒目付《かちめつけ》が被害にあった諸国の視察に赴いた。

大飢饉の発生により、西日本で大量の飢人が生じ、餓死者が増えていった。十二月、幕府は諸大名に対して「相互に心を用い、飢民をやしなはば、餓死のもの多かるべからず。もし飢民多からんには其地方の罪たるべしより、いづれも怠りなく命ず」と指示した。さらに災害地に高札を建て、「飢民とおなじく食物省略し、あまりのあらば近郷の飢民に恩施すべし」と飢民救合《すくいあい》を訴えた。

幕府の対策は回米と諸大名への拝借金ばかりではなかった。幕府領内の農民に対して1日男二合、女一合の割合で夫食米を配り、御家人に対しては諸大名と同じ条件で拝借金を配った。一方、享保の

国名	藩名	5ヵ年取箇平均石高（A）	享保17年取箇石高（B）	A/B（%）	拝借金（両）
筑前	平戸新田	3,287	皆無	—	2,000
	福江	3,885	1,202	30.9%	2,000
対馬	府中	6,074	皆無	—	2,000
肥後	熊本	184,917	28,064	15.2%	20,000
	人吉	10,631	2,679	25.2%	3,000
豊前	小倉	60,354	18,414	30.5%	12,000
	小倉新田	3,903	304	7.8%	2,000
	中津	50,029	13,260	26.5%	10,000
豊後	杵築	13,378	4,174	31.2%	3,000
	日出	10,063	2,268	22.5%	3,000
	府内	16,656	5,021	30.1%	3,000
	森	6,066	616	10.2%	2,000
	岡	44,946	14,206	31.6%	7,000
	臼杵	32,273	9,519	29.5%	5,000
	佐伯	8,682	1,246	14.4%	3,000
日向	延岡	27,423	10,582	38.6%	7,000
	高鍋	11,051	3,663	33.1%	3,000
		2,267,101	629,897	27.8%	336,000

出典：菊池勇夫（1997）：近世の飢饉．p.88

表5－3　拝借金を受領した各藩

国名	藩名	5ヵ年取箇 平均石高（A）	享保17年取箇 石高（B）	A/B（%）	拝借金 （両）
紀伊	和歌山	280,386	126,940	45.3%	20,000
和泉	岸和田	30,495	15,019	49.3%	5,000
出雲	松江	92,033	28,504	31.0%	12,000
	広瀬	11,456	3,021	26.4%	3,000
	母里	4,429	827	18.7%	2,000
石見	浜田	45,348	15,803	34.8%	5,000
	津和野	19,734	3,003	15.2%	4,000
安芸	広島	231,223	87,677	37.9%	20,000
長門	萩	164,582	40,635	24.7%	20,000
伊予	西条	14,379	7,157	49.8%	3,000
	小松	4,165	407	9.8%	2,000
	今治	18,387	3,023	16.4%	12,000
	松山	120,980	皆無	―	12,000
	松山新田	8,081	皆無	―	2,000
	大洲	37,582	13,121	34.9%	5,000
	宇和島	29,613	3,086	10.4%	10,000
	吉田	14,562	3,711	25.5%	3,000
土佐	高知	194,285	96,147	49.5%	15,000
筑前	福岡	168,652	39,129	23.2%	20,000
	秋月	18,731	4,482	23.9%	5,000
筑後	久留米	65,710	3,015	4.6%	15,000
	柳川	31,722	1,777	5.6%	10,000
	三池	3,553	253	7.1%	2,000
筑前	佐賀	70,652	6,372	9.0%	20,000
	島原	33,021	6,777	20.5%	5,000
	大村	10,044	532	5.3%	3,000
	唐津	29,397	351	1.2%	7,000
	平戸	20,281	3,910	19.3%	5,000

飢饉により米価が暴騰し、大坂での米一合が享保十六年十二月に銀41・5匁であったのに対し、享保十七年九月には130匁から150匁と3倍以上になった。米価高騰により、江戸で町民の間に困窮者が出て不満が高まった。このため幕府は江戸城の困窮者に江戸城の堀の土砂をさらう仕事を与え、賃金として50文を与えるといった対策を実施した。[30]

それでは、実際の餓死者数はどうであったか。『徳川実紀』享保十八年正月三十日に「餓死する者、九十六万九千九百人とぞ聞こえし」とあるが、これは飢民の数字を取り違えたものだ。一方で、『虫附損毛留書』では享保十八年四月までに報告された餓死者数は1万2172人となっているが、こちらの数字はかなり過小と考えられている。同書の中でもっとも多い餓死者数5705人を出した松山藩の藩主松平定英に対して、幕府は凶作への準備が足りなかったと問題視したからだ。各藩とも幕府からの叱責を恐れて餓死者数をかなり低く報告したと考えられ、餓死者の総数が何人なのか定かではない。[31]

このように享保の飢饉に際して、吉宗が陣頭指揮を執って迅速に対策を行ったことがわかる。関東地方では豊作だったことが不幸中の幸いであり、東日本から西日本へと速やかに回米するという大胆な施策は吉宗ならではのものだ。幕藩体制の一線を越えているかもしれないが、積極的な対策が飢饉への迅速な対応になったことは間違いない。そして、享保十八年の冬作麦が大豊作であった。セジロウンカ・トビイロウンカは越冬できないため、虫害による凶作は冷害が原因のものと異なり何年も続くことはない。享保十八年の春以降に危機は去り、米価も享保十六年の水準へと鎮静化していった。

㈤松平乗邑による財政再建の再始動

▼幕府財政の悪化

『徳川実紀』享保十七年の末尾に「今年四國中國邊《あたり》の田畝《でんぽ》蝗災にかゝりし公料の農民等には食糧を賜ひ、私領には金恩貸《おんたい》ありしにより官費尤《はなはだ》多し。よて来年は営築并《ならび》に修理くはふる事停廃せらるべし」とある。幕府の迅速な対応でウンカによる飢饉を早期に終息させたとはいえ、財政の負担は甚大で城の修復などを中止せざるを得なかった。享保十五年（1730）には奥金蔵に100万両以上を貯蓄していたのに対し、享保から元文に変わる1736年頃には21万両しか残っていなかった。宝永六年（1709）に勘定奉行であった荻原重秀が新井白石に御金蔵には37万両しかないと語っていたことを考えると、手元資金の残高という意味では享保の改革以前に戻ってしまったことになる。[32]

幕府財政が好転しない大きな理由に米価の下落があった。享保十八年（1733）以降、米一合は大坂で銀40匁から50匁となって水野忠之が勝手掛老中だった時代の価格水準まで下落してしまい、年貢米の売却代金は低水準に留まったからだ。桜町天皇の即位を機に享保二十一年四月二十八日（1736年6月7日）に元文へと改元されたが、その翌月に幕府は貨幣改鋳を実施した。目的は米価の引き上げであった。

元文の改鋳では、小判一両の重さを4匁76分から3匁50分と軽量化した上で、純金と純銀の含有量もそれぞれ、84・3％から65・3％、80％から46％に低下させた。そして、新旧貨幣の両替では、金は6割5分、銀は5割の割増をつけることで正徳金銀を回収し、元文の金銀の流通を促進した。

御触書には「世上金銀不足ニ付、通用不自由之由相聞候に付て」と理由を述べているが、元文金銀によって元禄から正徳の時代のように米一石が60匁に上がることが期待されたものであった。現在の経済学に照らせば、デフレ対策として通貨供給量を増やすものといえる。この改鋳は成功し、元文年間において米一石は銀80匁程度まで上昇した[33][34]。

吉宗からみれば、正徳金銀の質にこだわった将軍就任早々の貨幣改鋳からの大転換といえる。しかし、財政悪化を改善するための方策としてこれを採用するしかなかった。そして、財政健全化をさらに推進するために人材の登用を実施する。

▼松平乗邑の勝手掛老中就任

元文二年（1737）六月、吉宗は老中の松平乗邑を勝手掛に任命した。享保十五年六月に水野忠之を罷免して以来、空席であった勝手掛を7年ぶりに復活させたことになる。江戸町奉行の大岡忠相は、それまで月番制の老中への報告をすべて乗邑に行うよう指示を受けた。

乗邑は貞享三年（1686）に譜代大名の中でも徳川家にとって三河以来の名門である「十八松平」のひとつの大給《おぎゅう》松平家に生まれた。元禄三年に5歳で6万石の肥前唐津藩主を皮切りに、志摩鳥羽藩主、伊勢亀山藩主、山城淀藩主となり、享保七年に大坂城代に就任したことで幕僚として脚光を浴びるようになる。半年後の享保八年四月に老中に登用され、領国は山城淀藩から下総佐倉藩へと移された。序列を飛び越えての38歳での老中就任であり、吉宗はその人事についてあらかじめ御三家に了解を求めている。[35]

乗邑が吉宗から重用された理由は、彼の頭脳明断にあった。享保の飢饉という重大事において、乗邑は幕府の対策の総括責任者として任に就いている。大岡忠相はその才能が敏捷であることは自分など梯子をかけても敵わないと評し、「かかる神妙の才亦《また》世に出べしとも思はれず」と語った。水野忠之は享保十五年に吉宗から罷免を言い渡された夜、長年の部下の水野救馬に向かって自分の後任として勝手掛になれるのは乗邑だけだと語っていた。ただし、同時に忠之は不吉な言葉も残している。「乗邑が失敗するときは、われらより痛手は大きかろうぞ。長生きしてそれをみるがよい」[13][36]。

乗邑の勝手掛就任だけでなく、勘定奉行以下の人事も実施された。同月一日、勘定奉行に神尾《かんお》五郎三郎春央《はるひで》が任命された。俸禄２００俵という小旗本の出自ながら、前年に納戸頭から勘定吟味役となり、さらに１年で勘定奉行の地位に登っている。勘定奉行には定員上限の４名がいたが、神尾が人事権を掌握し、勘定組頭に堀江荒四郎芳極《あらしろうただとう》を就任させ、代官の所替を積極的に行った。

▼年貢増徴政策の推進

松平乗邑は優秀な官僚の常として、与えられた課題の解決に向けて邁進した。勝手掛老中となった乗邑が８年間の在任期間中、財政再建のためにひたすら進めたのは税収を上げることであった。元文二年の年貢は１３３万石余りで享保十二年と比較して30万石弱も減少しており、乗邑は徴税を行う代官の不正を疑った。そして、神尾春央に定免法での年貢減免に応じないよう指示した。徴税を厳しくする方針において、勘定奉行の神尾はうってつけの人物であった。神尾の言葉として「胡麻の油と百姓は、絞れば絞るほど出るものなり」というものが残っている。[37]

税収増を実施するにあたり、まず年貢徴収の範囲を拡大した。それまで、大名や旗本の領主権は検地によって石高が決められた土地のみが対象とされ、河川敷（流作場《りゅうさくば》）と山林・原野（高外地）は幕府の領地とされてきた。しかし、享保の改革前期に河川敷での新田開発が進んだことを背景に、「幕領新田」という概念を考案し、これらの地を課税対象とした。元文二年から延享二年の8年間で新たに課税対象となったこれらの新田は全部で2万３１００町歩であり、そこからの年貢は2万７０００両であった。山林・原野への検地は寛保三年（１７４３）九月以降に本格化するが、納税義務者を明確化することから入会地の解体を意味し、個人所有が進む転換点になった。[38]

次に、年貢の徴収率を上げる施策を行った。水野忠之が勝手掛の時代に四公六民から五公五民に引き上げたとはいえ、忠之は増税の実施について代官に村民としっかりと協議するように指示し、長期間の出来高をもとに年貢率を固定化する定免法とセットであった。ところが、乗邑は定免法を改め、毎年の実際の出来高を基準とする有毛検見取法《ありげけみどり》を採用した。関東地方では、寛保三年から実施された。長く関東代官であった伊奈氏のやり方について、神尾が任命した徴税役人は「古来の法」「ぬるく候」と批判した。武蔵国西方村（越谷市）では、年貢率が１７３４年に34%であったが、１７４８年には40%へと上昇した。

神尾と堀江は自ら近畿・中国地方に赴き、年貢増徴の陣頭指揮を執った。乗邑の命により、皇室や摂家の領地にも検地を行った。また、中国地方では2人の名前（神尾の官位は正六下の若狭守）を取って落書がされた。「東からかんの若狭が飛んできて、野をも山をも堀江荒しろ」[39]。

徹底した増徴収策は数字に表れた。延享元年（１７４４）の幕府領の石高は４６３万石、年貢１８０万石で、これは享保の改革での年貢収納量の最高額であった。

乗邑の財政再建策は、年貢増徴ばかりではなかった。享保十七年（１７３２）の飢饉で諸大名に貸し出した拝借金33万６０００両の返済を迫った。確かに幕府としては恵んだ金ではなく貸し与えた金であり、しかも借入期間は5年とされていた。しかし、各藩では飢饉対策の救援物資の購入に使っており、返済するとしても毎年の藩財政での余剰金で細々と行っていくしかなかった。このため、毎年の返済は遅れていたのだが、乗邑は督促を強引に進めた。結果として、寛保二年（１７４２）までにすべてを完納させた。

かくして、乗邑による財政再建は結果を残した。吉宗の晩年である１７４０年代後半には奥金蔵の貯蓄は１１７万両となり、享保の飢饉が起きる前の水準に戻すことができた。延享二年（１７４５）三月、吉宗は乗邑の功績に報い、佐倉藩６万石を１万石加増し、７万石とした。[40]

▼吉宗の隠居と乗邑の失脚

とはいえ、当然ながら財政再建のための増徴を強烈に進める松平乗邑の政策に対する世間の評判は悪かった。『松平左近将監風説集』には、過酷な増徴政策で、「百姓共致困窮、上を奉恨《うらみたてまつり》、公儀を嘲《あざけ》り候様ニ致候」と世相の乱れが記された。実際の行動としても、延享二年に畿内にある幕府領の農民が京都目付らに向かって乗邑の政策を圧制だと嘆願した記録がある。彼らの主張には、「五公五民」

ではなく「惣公無民」ではないか、との表現があった。

批判の矛先が吉宗自身にも向けられることもあった。儒学者で経世家の太宰春台は「天下の万民が吉宗を怨むこと讐敵のごとくである」と書いている。尾張藩の第7代藩主である徳川宗春は享保十五年以降、吉宗の質素倹約に反対する政策を実施しており、幕府との議論の中で倹約とは重税で庶民を苦しめることではないとの持論を展開し、元文四年（1739）に蟄居を命じられた。[41]

吉宗は延享二年（1745）九月二十五日、将軍職を長男の家重に譲った。諸大名から農民に至るまでさまざまな社会階層からわき起こっている不満を受け止め、御代《みよ》替わりでかわす狙いがあったとされる。新しい将軍就任の一連の祝賀会が終わった13日後の十月九日、乗邑は「久しく権威をふるまいたまひ有により、大御所よりしばしば御告諭あれども改めしさまなく、おのれの意を主張」したとして、老中職を罷免された。さらに翌日には、半年前の加増1万石を取り上げられ、息子の乗佑《のりすけ》を6万石の佐倉藩主にするとし、江戸の邸宅も召し上げらえた。

『徳川実紀』では詳細について伝えられないとしつつ、「寵栄の久しく難きためしなるべし」と世の中の感想でまとめている。失意の乗邑は隠居して半年後の延享三年四月十六日、61歳で世を去った。乗佑は佐倉藩を継いだ形になったものの、直後に石高は同じながら出羽山形藩へ懲罰的な転封を言い渡された。

乗邑に享保の改革についての世の中の不満を背負わせた形だが、吉宗も無傷ではなかった。吉宗の隠居を庶民が歓喜した記録が残っている。出羽国村山郡谷地郷（西村山郡河北町）のもので、そこには次のように書かれている。「公方様（吉宗）御隠居被遊《あそばされ》候、霜月上旬に西之丸へ御移り被遊《あそばされ》、大納言（家重）様将軍に御《お》立《たち》被遊《あそばされ》候、此末《このすえ》御慈悲も可被成《なさるべく》由、末頼母敷《すえたのもしき》皆々悦《よろこび》御事に御座候」[2]。

今日、徳川吉宗は質実剛健の思想を持ち、優れたリーダーシップで享保の改革を主導した江戸幕府の中興の祖という評価を得ている。しかし当時、彼の晩年の評判は芳しいものではなかった。今振り返って享保の改革の経緯を時系列で並べてみれば、今日われわれが賛嘆する吉宗の改革とは、新田開発や殖産興業といった成長戦略を実行したもので、それは水野忠之の時代までであったことがわかる。この時点で政策目標は達成されていた。

ところが、享保十七年の蝗災による飢饉で転機が訪れた。吉宗にとって思ってもみない天災であったが、結果として幕府の財政は元禄時代の水準に戻ってしまった。そして、享保の改革の後期とは、過酷な重税ばかりの硬直的なものへ変容していった。

2度目の努力のしんどさというのは、誰もが身に染みた経験があるに違いない。吉宗としてみれば、それまでの自己の成功体験に執着した面もあろう。とはいえ、水野忠之が主導した成長戦略を重視した前期の享保の改革と、松平乗邑が推し進めた増徴政策一本やりの後期とはこうも異なるものか。カール・マルクスは「歴史は二度繰り返す。ただし、一度目は悲劇として、二度目は喜劇として」という名言を残しているが、享保の改革とは、前期が陽画であるのに対し、後期が陰画であるのは明らかだ。それは、吉宗の為政者としての独創性が衰えたからだろうか。それとも、商品経済の広がりという社会の変化があまりに大きく、吉宗の才覚をもってしてもいかんともしがたかったからだろうか。

ともあれ、名君として誉れ高い吉宗の人生に一点の影を落としたのは、梅雨前線による大気の流れに乗って大陸から渡って来るわずか5ミリ以下の小さな虫であった。

第6章　南岸低気圧
――桜田門外に降った春の大雪

「脱藩ノ届之有り候へ共、是ハ虚勢ヲ以テ人を威スノ計策ト存ぜられ候。自ラ人ヲ殺スト云フモノニ、人ヲ殺《ころし》得《え》ヌと同様ノ事ニ候。且《かりに》二十人ヤ三十人ニテ入来リ候トテ、何程ノ事モ之有ルベカラズ」

（松平信発の忠告への大老井伊直弼の返答）

『盤錯秘談』[1]

「折シモ凍雲天ヲ鎖《とざ》シ飛雪霏々《ひひ》トシテ降出セリ、関鉄之介仰テ喜色ヲ帯ヒ、アア此《これ》吉兆ヲ下ス、是レ天我（ニ）忠義ヲ祐《たす》クルナリト独事《ひとりごと》ス。是時已ニ戸外へ出タル者ハ皆、口々ニ吉兆ヲ称セリ」

『春雪偉談』[2]

(一)関東平野に降る雪

▼江戸東京三大大雪事件

元禄十五年(1703)十二月の赤穂浪士による吉良邸討ち入り、安政七年(1860)三月の桜田門外の変、そして昭和十一年(1936)二月の2・26事件の3つを並べ、「江戸東京三大大雪事件」と称することがある。いずれも東京都心で起きた歴史上の大事件だが、降雪が大きな役割を果たしているからだ。

赤穂浪士の討ち入りでは、前日までに降った雪が積もって月明りを反射したため、寅の刻(午前4時頃)に出発した大石内蔵助らの一陣は本所松坂町の吉良上野介邸まで容易に向かうことができたという。桜田門外の変は上巳《じょうし》の節句という大名が江戸城に総登城する朝に行われたが、現在の暦でみると3月24日であり、未明から季節外れの雪が降っていた。2・26事件では3日前の23日の大雪で積雪量は36センチメートルと明治初期以降での観測史上3位となる高さになり、積雪が残る中で交通障害が発生したことが事件の混乱に拍車をかけた(表6-1)。

そもそも、東京では江戸時代でも現在でも、ひとつのシーズンの降雪日は多いときで10日程度であり、ましてや積雪となると数日しかない。珍しいとまではいわないまでも、確率的にみればけっして多いものではない。そうした稀な降雪が歴史を動かしたという意味で、三大大雪事件とするのは表現の妙がある。

表6－1　江戸東京三大大雪事件

	事件の発生日	天気の状況
赤穂浪士討入り	元禄十五年十二月十四日 1703年1月30日	十二月十二日「今朝雪降」、十三日「終日雪降」、十四日「天気良」
桜田門外の変	安政七年三月三日 1860年3月24日	三月一日「曇、折々雨」、二日「曇」、三日「雪、午之刻過止、夕刻晴」
2・26事件	1936年2月26日～ 2月29日	2月23日に大雪が降り、当日の積雪量は36センチと観測史上3位。

出典：福眞吉美（2018）：弘前藩庁日記ひろひよみ【御国・江戸】．北方新社
気象庁HP

▼南岸低気圧：東京に雪を降らせるもの

日本列島に雪が降るといっても、そのメカニズムは日本海側と関東平野ではまったく異なる。雪が降るには、その水（水蒸気）をどこからか運んでこなければならない。日本海側の降雪では、冬将軍ともよばれるシベリアからの寒気が強風とともに日本海から供給された水蒸気を日本列島に運んでくる。関東平野に降る雪の場合、東シナ海から本州南岸へと東に進む温帯低気圧に含まれた太平洋の水蒸気が由来である。

日本海側の降雪では、「寒気の吹き出し」という現象が関わっている。日本海の上空をシベリアからの乾いた寒気が通過するとき、対馬暖流の流入によって温度の高くなった海面から大気中に水蒸気が補給される。冷たく乾燥した気団が、冷たいながら水蒸気を含んだ湿潤な気団に変わるのだ。日本海の上空で水蒸気の一部は小さな氷滴となり、筋状の雲として現れる。気団に含まれる水蒸気は日本海側の山間部の傾斜面を滑昇し、その途中で凝結し雪となり地上に降る。ポイントは、冷たく乾燥した北西風が海水温の高い日本海の上空を通過し、湿潤な空気に変質するということだ。

一方の関東平野に降雪をもたらす温帯低気圧は、本州の南の沿岸から沖合を東に進むことから南岸低気圧といわれる。進路からすれば、春や秋に長江流域から東シナ海を経て移動性高気圧と交互に訪れるものと同じだ。春や秋ならば九州から本州の太平洋側に雨を降らせるが、冬の南岸低気圧となると雪か雨か悩ましい。何となれば、南岸低気圧は太平洋上から到来してくるゆえ、もともと暖かい空気で構成されているからだ。南岸低気圧が運んでくる水蒸気は大気の上層で雪氷となるが、地上に近い下層の気温が高いと融けて雨となる。雨にならずに雪のまま地上に降るには、大気の下層が冷たくなくてはいけないが、この条件が複雑なのだ。

▼降るのは雨か、それとも雪か

南岸低気圧が関東平野の近くを通過するとき、雨か雪かというのは気象予報にとって大きな問題だ。仮に降水量が1日10ミリであったとすると、雨ならば流れていくが、雪となればおよそ10センチメートルの積雪となる。都内であれば自動車走行時にスリップ事故が多発し、チェーン着用が必須となる。

かつては南岸低気圧の進路による経験則が用いられてきた。八丈島と鳥島の位置と南岸低気圧の進路に着目するものだ。南岸低気圧が八丈島より北側の本州寄りを東に進んだ場合、降水になるものの、関東平野まで南岸低気圧の持つ暖かい空気が運ばれるため雨となる。南岸低気圧が八丈島と鳥島の間を通過する場合、関東平野の上空ではもともとあった冷たい空気により、南岸低気圧による降水は融けずに雪のまま降ってくる。南岸低気圧が鳥島以南を通るなら、南岸低気圧は関東平野からあまりに遠く、雨も雪も降らない。

この経験則が気象予報の現場で長年語られてきた。ところが今世紀に入ってから詳細な気象観測で検証したところ、関東平野の降雪では北東方向や北方向からの地表からほど近い大気下層に冷気が流れ込んでいることが重要だとわかってきた。また、２００６年2月7日の南岸低気圧では関東平野のすぐ近くを通過しても東京で2センチメートルの積雪となるケースもあった。今日では関東平野の降雪のカギを握るのは、北方向から運ばれてくる冷気だとされている。北方の冷気は関東平野を取り囲む山岳に阻まれて行き場を失い、上空１０００メートル以下で冷気塊（ＣＡＤ：Cold-Air Damming）となって滞留する。この冷気塊によって、南岸低気圧による雪氷は地上付近になっても融けて雨になることなく、雪のまま降ってくるのだ[3][4]。

では、この北方から流れてくる冷気はもともとどこにあった空気なのか。冬のシベリア高気圧からの寒気の吹き出しは、東北地方北部を抜けて三陸沖で冷たい高気圧となる。この高気圧の冷気の一部が東北地方へ向かい、仙台付近から東北本線の走る内陸部の低地を南下し、あるいは鹿島灘や房総半島沖を通って関東平野に流入すると考えられている（図６−１）。

テレビなどの気象解説では、上空１７００メートル付近の気温がマイナス3℃以下であれば雪になる可能性が高いと言われることが多い。目安として間違いではないが、厳密には上空１７００メートル付近よりも下層の空気の気温が重要であり、雨域の上昇流の強弱も関わってくる。それゆえ、気象予報の理論においても予報現場においても、正確な雨雪予報はまだまだ大きな課題として残っている。

図6－1　南岸低気圧による関東平野での降雪（概念図）

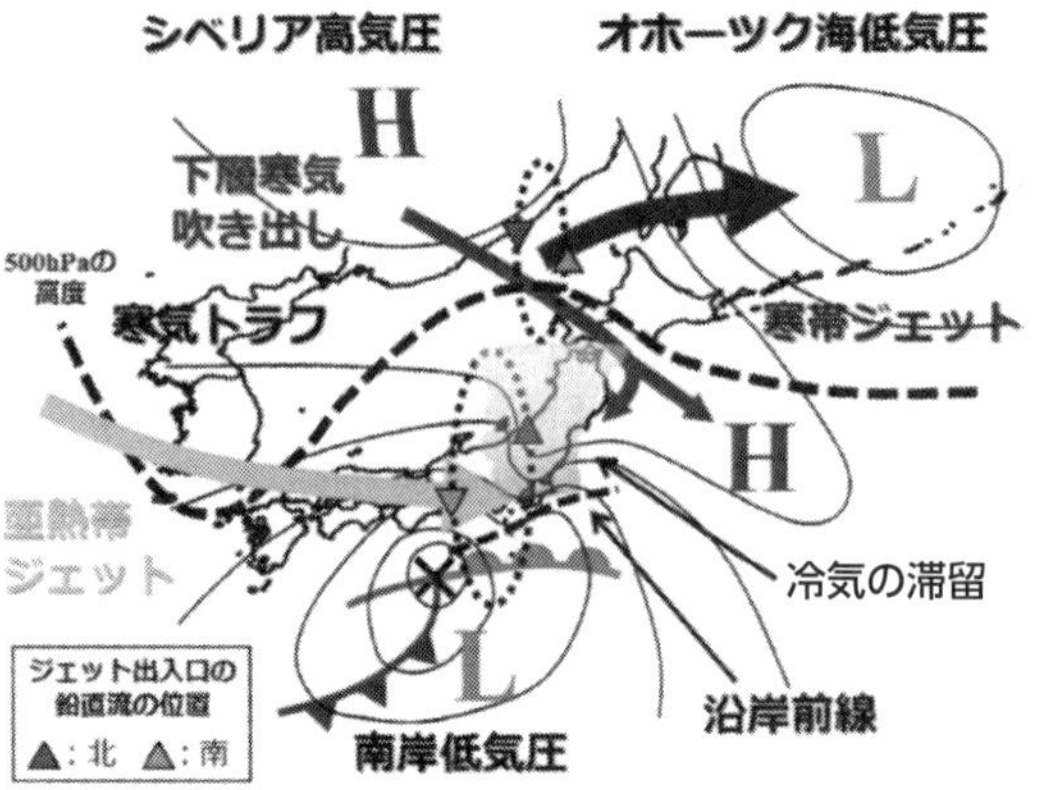

出典：荒木健太郎, 北畠尚子, 加藤輝之（2019）：南岸低気圧による関東大雪における総観・メソスケール環境場と雲の相互作用.（気象研究ノートNo.240号「南岸低気圧による大雪Ⅱ.マルチスケールの要因」所収　pp. 189-199）日本気象学会

図6－2　東京での南岸低気圧による月別降雪事例数

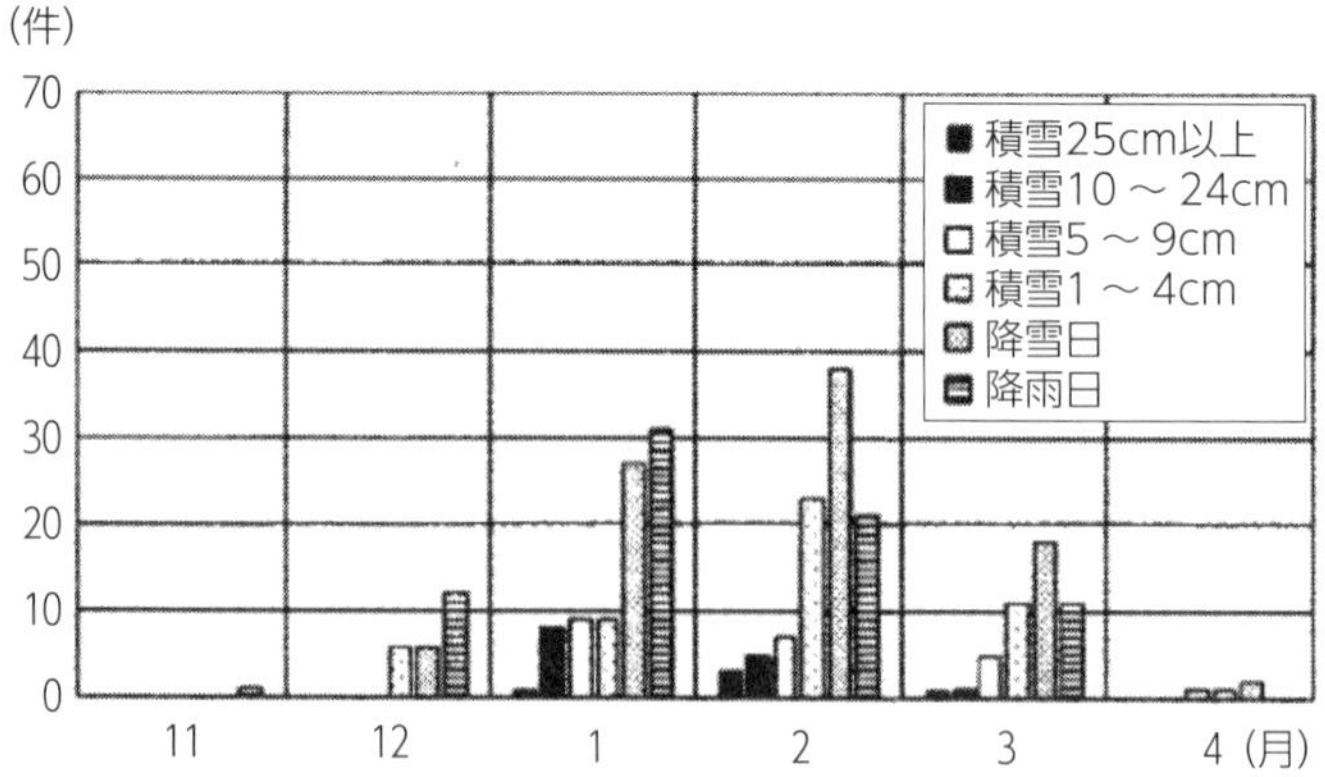

集計期間：1958年～2015年
出典：荒木健太郎（2019）：南岸低気圧に伴う関東甲信地方の大雪の気候学的特徴.（気象研究ノートNo.239号「南岸低気圧による大雪 Ⅰ.概観」所収　pp. 83-93）日本気象学会

▼東京での降雪の時期

南岸低気圧はその進路からみれば、春や秋に到来する温帯低気圧と同じものだと述べた。図６−１にあるように、南岸低気圧は亜熱帯ジェット気流に沿って東に向かう。その意味で、南岸低気圧による雪は厳冬ではなく、春を告げる雪という言い方がある。

図６−２は１９５８年から２０１５年にかけての南岸低気圧による東京での月別の降雪事例をまとめたものだ。降雪日には積雪のない事例も含まれる。降雪・積雪ともに事例は１月と２月が多く、３月は少ない。南岸低気圧による関東平野の雪が、「春の雪」あるいは「なごり雪」ばかりではないことがわかる。江戸東京三大大雪事件も、グレゴリオ暦でみて赤穂浪士討入りが１月、２・26事件が２月、そして桜田門外の変が３月と奇しくも別の月に起きている。

(二)幕府の２つの大きな問題

▼老中、阿部正弘の死

安政四年（１８５７）六月十七日、老中の阿部正弘が病死した。備後福山藩の藩主であった阿部は、水野忠邦による急進的な天保の改革が嫌われ、天保十四年（１８４３）の水野の罷免を受けて25歳にして老中に就任した。若いながら懐が広く、事を急がない性格ゆえに第12代将軍家慶《いえよし》や大奥の信任が厚く、翌年の天保十五年には勝手掛となり、弘化二年（１８４５）に勝手掛兼帯のまま老中首座に就いた。安政四年に39歳で急死するまで、老中の就任期間は14年に及んだ。死因は定かでなく、肝臓癌とも胃癌ともいわれている。

阿部はアヘン戦争の状況など海外の情報を集め、弘化二年に海防掛（海岸防禦御用掛）を整備し、川路聖謨《かわじとしあきら》、井上清直《きよなお》、水野忠徳、岩瀬忠震《ただなり》、勝麟太郎（海舟）といった人材を身分にかかわらず積極的に登用した。嘉永六年（1853）六月十四日のマシュー・ガルブレイス・ペリーの浦賀来航時には、開国か攘夷か判断がつきかねていたが、翌年のペリー再訪時には、それまでの対外政策を転換し、三月に日米和親条約を締結した。海防掛は異国船打払令の延長ではなく、開国へと大きく舵を切る官僚群として育っていった。

安政二年（1858）十月、阿部は開国論と攘夷論の政争を緩和するために下野国佐倉藩主の堀田正睦《まさよし》を再登用し、彼に老中首座の地位を譲ったものの、幕閣内で隠然とした力を維持し続けた。堀田は水戸藩の徳川斉昭《なりあき》から「蘭癖」とよばれるほど外国文化に関心が強く、外国問題専担老中といった立場であった。ところが、阿部正弘の早すぎる死によって、幕府では2つの政治問題が顕在化した。

▼将軍継嗣と外交政策

2つの政治問題のひとつが、第13代将軍家定の継嗣（後継）をめぐるものだ。家定は12代将軍家慶の子女の中で唯一成年したものの、脚気を患っており、阿部正弘が病死した安政四年には34歳になっていたが子供はいなかった。将軍は御三家・御三卿から選ぶことになっており、候補者として一橋家の徳川慶喜《よしのぶ》と紀州藩主の松平慶福《よしとみ》の2人が挙がっていた。慶喜は幼少時から聡明との評判があり、家定が病弱なため家慶の次の将軍候補として名前が挙がったこともあった。一方の慶福は家慶の異母弟の息子であり、家定と従兄弟の関係と血統が近かった。慶喜擁立組が一橋派、慶福擁立組が南紀派とよばれた。

もうひとつの問題が、アメリカの総領事タウンゼント・ハリスが来日し、通商条約の締結を求めていたことだ。ハリスは安政三年（１８５６）七月二十一日に下田に入港し、八月三日に上陸するや下田奉行の井上清直と岡田忠養《ただやす》との会見に入った。同月二十八日に大目付の岩瀬忠震が江戸から船で到着し、ハリスとの会見に加わった。ハリスは会見相手の役職が低いと不満を漏らし、江戸城に出向くことを求めた。阿部は人心の動揺から時期尚早であり、とりわけ水戸藩の徳川斉昭からの烈しい反対を憂慮したのに対し、堀田はハリスの江戸への出府を許可していいと考えた[5]。

安政四年（１８５７）に入り、閏五月二十六日に日米和親条約を補完する下田条約（日米追加条約）が締結されると、ハリスはいよいよ江戸にて大統領の親書を将軍家定に直接渡したいと迫った。六月十七日に阿部が病死すると、堀田は貿易と新港についての条約締結に向けて舵を切った。七月二十四日、堀田は御三家および両卿（一橋家と清水家）に対して世界の情勢が変わってきており、「御国においても寛永以来外国御取扱向之御制度」を改めざるを得ないとして、家光以来の限定的な対外貿易政策からの転換を書面で伝えた[6]。九月十三日には、開国論を強く主張する上田藩主の松平忠固《ただかた》を老中に復職させた。

十月七日、ハリスは陸路で江戸に入るべく下田を出発した。十四日に江戸に到着し、十八日には堀田との初対面が実施され、二十一日に将軍家定との謁見も行われた。かくして、ハリスと全権委任状を持った井上・岩瀬の間での具体的な交渉へと入り、2カ月足らずで各条文で合意に至った。

とはいえ外交政策について、国内では開国論と攘夷論で世の中は真二つに分かれた状況のままであった。幕府はアメリカ公使の駐在と通商について、各大名などから広く意見を募ることとした。十二月十五日に一万石以上の大名と幕府諸役人を前にしてハリスとの条約案を説明し、次いで十二月二十九日と三十日の2日間で江戸在中の諸大名を総登城させて、条約締結について意見を求めた。

▼一橋派と南紀派、攘夷論と開国論

二つの問題に対して、閣僚、御三家、溜間詰《たまりまづめ》大名、そして外様の雄藩の意見が複雑に入り乱れた。

徳川御三家の水戸藩は、慶喜が前藩主徳川斉昭の実子であることから、将軍継嗣では当然のこととして慶喜を強く推した。対外政策については、水戸藩士で思想家の会沢正志斎《せいしさい》が『新論』で尊王攘夷を唱えて以来、攘夷論の牙城であった。斉昭は幕政参与の地位にあったとき、開国論の老中の罷免をたびたび要求した経緯があった。一橋派で攘夷論の大名には、尾張藩主の徳川慶恕《よしくみ》(後に慶勝《よしかつ》)、川越藩主の松平直侯《なおよし》、鳥取藩主の池田慶徳《よしのり》がいた。直侯と慶徳は斉昭の子で慶喜の弟(慶徳は異母弟)にあたる。

越前藩主の松平慶永《よしなが》は、島津藩主の島津斉彬《なりあきら》と嘉永六年七月から慶喜を将軍世子とするよう話し合っていた[7]。その点では2人は一橋派であるが、外交政策については開国論を支持した。生前の阿部正弘も同様で、将軍継嗣では慶喜を支持していたとされ、開国は慎重に進めるとの姿勢であった。そのためか、今日の言葉でいえば阿部チルドレンとなる幕府内の海防掛の永井尚志・岩瀬忠震らも、一橋

派かつ開国論者であった。

一方、将軍継嗣に慶福を推す南紀派には、溜間詰大名のグループがいた。溜間とは江戸城の将軍執務室である黒書院の横に位置する部屋で、ここに詰めることができるのは高い家門と譜代の有力大名であった。常溜《じょうだまり》といって常に詰めることができたのは会津藩松平家、彦根藩井伊家、高松藩松平家の三家で、この時代では順に松平容保《かたもり》、井伊直弼、松平頼胤《よりたね》であった。加えてこのグループには、飛溜《とびだまり》といって一代限りの者、溜詰格《たまりづめ》といって末席に置かれる者がいた。彼らは意見をひとつにして行動し、そのリーダー格が井伊直弼であった。彼らは慶福を将軍継嗣に推す南紀派であり、外交政策については開国やむなしとの議論を展開した。

南紀派は将軍継嗣について、資質よりも血統を重んじた。直弼の家臣である国学者の長野主膳の書状が明確に語っている。「東照宮之御恩沢《おんたく》」「大将軍家之御威徳《いとく》」によって、天下は安泰との考え方が根底にあった。直弼の意見も同様であり、次期将軍についてその資質よりも徳川家康を根源とする血統こそが大事と考えるものだ。[8][9]

外交政策については、直弼の自筆原稿が残っている。公使の駐在地は江戸の外とし、その時期についても日本からも官人をアメリカに駐留できるまで時間を稼げとし、ハリスが要求を飲まないなら年限を区切り条項を少なくして許可すべしとした。大きく懸念していたのは、イギリス兵船が攻めてきて戦争が起きれば沿岸の廻船に支障が生じ、兵粮の確保すら危うくなる事態であった。[10]

▼条約勅許

安政四年十二月二十八日から二十九日にかけて、条約締結について幕府がすべての大名に意見を求めた結果、開国容認が大勢を占めた。しかしながら、堀田にとって悩みの種は条約締結に強く反対する水戸藩の斉昭の存在であった。堀田は十二月二十九日、小石川の水戸藩上屋敷にいる斉昭のもとに海防掛の川路聖謨と永井尚志を訪問させ、条約締結について個別に説明させた。ところが、斉昭は冒頭から「全体備中守（堀田）不届也」と声を荒立てた。2人は斉昭が、彼らの肩書の低さに怒っていると考え、堀田は多忙ゆえ御用を仰せつかって訪問したと釈明すると、斉昭は重ねて「元来備中守不《ふ》埒《らち》千萬也」とし、「備中・伊賀（松平忠固）は腹を切らせハルリス（ハリス）は首を刎《はね》て然るべし」と終始機嫌を損ねるありさまだった[11]。

斉昭の攘夷論は、ペリーによる黒船到来以降になると説得力を失っていた。御三家で最年長という「老公」の立場が、むしろ過去の主張への執着につながっていたのだろうか。慶永は後に、「水戸老公の失策多くなりて、万事不都合を生じ、幕府より譴責を受くる等の事は、藤田東湖・戸田忠太夫両人、卯年大地震（天保）に圧死せし以来也、此二人の輔翼は、別段の事なりといふ」と語っている。慶永は、安政二年十月の安政大地震で優秀な補佐役2名を失った後の斉昭には老害が目立ったとするのだ[12]。

斉昭の扱いに難渋した堀田は、条約締結について朝廷から勅許を得れば先に進むことができると考えた。斉昭は尊王攘夷論者ゆえ、勅許があればその怒りは収まるとみたのだ。ハリスとの条約交渉を朝廷に説明するために、儒役の林復斎と目付の津田正路を京都に送っていた。ところが正月早々に届いた連絡では、武家伝奏の広橋光成らに条約の必要性を説いたものの、「禁廷之御様子以之外《もってのほか》六ヶ敷《むつかしき》」

状況であった[13]。ここに至って、堀田自身が京都にのぼり、勅許を求めることとなった。

安政五年（1858）一月二日、井上と岩瀬はハリスに「精神的な皇帝」（Spiritual Emperor）たる天皇から条約調印の許可を得るために、幕府は京都に使節を送ると伝えた。この許可があれば条約調印に反対する大名も引き下がるに違いないと説明を加えた。しかし、ハリスはもし天皇が反対したらどうするのかと懸念を示した。ハリスの心配に対し、2人はたとえ天皇が反対しようと条約調印は幕府の決定事項であり、天皇から許可を得るのは単なる「厳粛な儀式」にすぎないと答えた[14]。

京都では各藩とも朝廷工作に乗り出した。将軍継嗣の問題について、越前藩の松平慶永は橋本左内を送り、彦根藩の井伊直弼は長野主膳に工作を任せた。橋本は前関白の鷹司政通《まさみち》とその子の輔熙《すけひろ》を一橋派に囲い込む一方、長野は関白の九条尚忠《ひさただ》を南紀派に取り込んだ。鷹司父子は継嗣選定の条件として「年長・英傑・人望」を入れるべきと画策したが、尚忠は独断でこの条件を外し、急務の多い時節ゆえに養君（後継者）を定め政務を扶助するようにとの沙汰に留まった。

南紀派としては安堵したことだろう。長野は一連の過程で、水戸藩の斉昭や薩摩藩の島津斉彬の工作に気づいた。彼はそれを「陰謀之躰《ていに》ニも相聞え」と書いている。それぞれ藩主の指示のもとで各工作員は朝廷に取り入っており、ことさら非難することでもないと思われるが、長野は「陰謀」という言葉を用いた[15]。

朝廷は外交政策については自己の主張を貫いた。二月二十三日と三月二十日の2度にわたって堀田に勅諚が届けられたが、厳しい内容であった。後者では、外国との貿易を限定するとの「東照宮以来

（の）良法を変革之儀」に対しては、永世の安全を量り難しとし、このたびの条約締結では国威を失うことを恐れるとした。そして、徳川三家以下の諸大名へも台命するとし、衆議した上で再び言上するようにとの内容であった。堀田としては思ってもみない展開であり、無念のうちに江戸に帰るしかなかった。

四月六日、井上と岩瀬はハリスと面談し、堀田からハリスに宛てた書信を伝えた。そこには、京都では言葉に表現できないほど困難を極めたとあった。江戸幕府の３００年間で京都に使節を送ったのは今まで3回しかなく、それも10日ほどで済んでいたのに対し、今回は3カ月近くに及んでしまったとし、堀田を暗殺しようとの陰謀が渦巻いていたと京都周辺の興奮した状況が綴られていた。しかしながら、朝廷は大名の合意が得られれば勅許を出すとしており、幕府として条約締結を実現すると決意を示した。[16]

㈢日米修好通商条約の調印

▼井伊直弼の大老就任

堀田は京都から江戸に戻る途中、将軍継嗣について一橋派に傾いた。井伊家家臣の宇津木景福《かげよし》が記した『公用方秘録』（木俣家本）によれば、堀田は江戸に帰った3日後の四月二十二日に将軍家定に謁見し、松平慶永を大老に充てるよう進言したという。宇津木は将軍継嗣が慶喜になることを見据えた動きとみて、「水老（斉昭）」の「陰謀」だと書いている。堀田の進言を受けた家定は驚き、「家柄も人物も掃部頭《かもんのかみ》（井伊直弼）を差し置いて、越前（慶永）に仰せ付けられるべき筋これなく、掃部頭へ仰せ付けらるべし」と返答した。大老を誰にするか、わずか数日の間の逆転劇であった[17]。

誰が家定に直弼を大老に推すよう進言したのか。もともと、家定の生母本寿院をはじめとして大奥や側近は反一橋派であった。斉昭の質素倹約を嫌っており、本寿院は斉昭の息子の慶喜が継嗣になるなら自殺するとさえ周囲に語っていた。慶永は、直弼が大老になるよう暗躍したのは松平忠固だと記している。

直弼の大老就任を聞いた一橋派は、直弼を無能な人間だと見下した。一橋派であった勘定奉行の永井尚志および目付の鵜殿長鋭《ながとし》と岩瀬忠震は憤激し、直弼のことを「その器にあらず」と蔑み、とりわけ岩瀬は「彦根は児輩に等しき男」なので何も仕事はできまいと語った。旗本で田安家の家臣職にいた水野忠徳は登城した際に大老就任の話が耳に入り驚いたとし、これまで英明と承ったこともなく、前年来「格別之建議等も無之哉《これなきや》」と侮った。四月二十六日、斉昭は慶永宛の書状を水戸藩奥右筆の茅根《ちのね》伊予之介に持たせた。そこには、「井伊は大法華にて、法華の外は何宗もきらひのよし」と法華経の強烈な信者であることを強調し、「模《かた》通り」に進めるばかりだろうが、「交易だけは好み候よし」と書かれていた[18]。

▼将軍継嗣は慶福へ、条約締結は七月二十七日まで延長

一橋派の低い評価とは異なり、大老となった井伊直弼は、2つの問題に対して迅速に動いた。将軍

継嗣については、五月一日に大老・老中が家定に召し出され、慶福との名前が告げられた。直弼は翌二日、慶永を彦根藩邸に招き、「万一紀伊殿（慶福）に定められけんには御持論を棄《すて》給ひて今に変わらず忠誠を尽くし給わん事こそ願はしけれ」と意味深長に語っている。六月一日、御三家、両卿そして溜間詰大名を江戸城に登城させ、大老および老中の通達として、「御筋目之内、御養君可被遊《あそばされべく》と思召候」と紀州藩の慶福が継ぐことが正式に伝えられた。

一方の条約締結では、直弼は勅許を得るために締結期限を延ばすよう指示した。海防掛は今まで何度も延長してきたことから、長期間の延長は無理だと強く抵抗をみせたものの、直弼は指示を貫いた。堀田は五月二日にハリスと直接面談し、七月二十七日まで締結期日を延長することとなった。[19][20]

直弼としては、時間を稼げたと安堵したことだろう。大名に指示した条約締結についての答申書は、五月中に相当数が集まって来ていた。続けて直弼は、京都で失態のあった堀田と自己主張の強い忠固を罷免しようと、新たな幕閣の構想まで思い描いた。先に述べたように慶永は直弼の大老就任を画策したのは忠固だとした。ところが、直弼の大老就任早々に2人の間に摩擦が生じている。これは一体どういうことだろうか。忠固は一橋派の評価と同様に直弼を軽く見て操り人形にしようと大老に据えたのだが、彼の思惑は外れ、忠固と直弼が早々に対立したとの見方がある。[21]

▼日米修好通商条約の締結

この時点まで、直弼の滑り出しは順調であった。ところが、直弼の構想を打ち砕く行動をハリスは取った。六月十四日、堀田のもとにハリスからの書簡が届けられた。そこには、蒸気船ミシシッピ号が渡来し、その情報によれば英仏海軍によって中国は敗北し、イギリス海軍30艘から40艘が江戸湾に向かっている模様とあり、「条約一日も不捨置《すておかず》、調判之儀格別大切旨」と書かれていた。[22]十七日にはハリス自身がポーハタン号に乗って神奈川の小柴沖まで渡って来た。井上と岩瀬が乗船すると、ハリスは日米での条約が締結されたなら、イギリスからいかような申し出があったとしても自分が周旋するとし、その旨の証書も提出すると伝えた。

応対した岩瀬は十八日に書状を慶永に送っている。そこには、イギリスの40艘余りの船が来航する以前に条約調印するのは「尤《はなはだ》好機可申《もうすべく》」としつつ、一方で直弼の逡巡を想定してか「此場に臨み不断ニ失し遂に英仏の矛《ほこ》先に屈するは大辱の甚だしきもの」と決断の先送りを憂い、「然るに猶娓々《びび》の論アリ応接者も殆《ほとんど》困頓」と嘆いてみせた。[23]

翌十九日、ハリスへの対応が江戸城で協議された。井上を含めた三奉行と関係役人も参集した。直弼は勅許を得るまでは仮条約調印は難しいと主張したものの、賛同者は若年寄の本多忠徳ただひとりであった。英仏と戦争が始まったらどうなるかと、役人は直弼を「気違同様」と言外に扱った。[24]追い込まれた直弼は、なお考えるとして老中の執務室である御用部屋に戻り、老中らと評議した。堀田と忠固はもとより条約調印を主張しており、他の老中も致し方ないとした。

直弼は御用部屋に井上と岩瀬をよびつけ、勅許を得られるまで調印を延長するよう指示した。あくまで持論を通したものだった。しかし、井上が指示の通りに動くが「是非に及ばない」（いたしかたない）節には調印してもいいかと尋ねると、直弼はその時は致し方ないがなるべく延ばせと念を押した。事実上、直弼が井上に条件付きながら調印許可を与えた瞬間だった。岩瀬は粘り強く交渉し、ぜひ引き延ばしたいと口にしたが、これは方便であった。

条約調印をめぐる直弼の指示について、勅許を得ないまま自己の責任で開国の決断をしたと世に名高い。しかし、『公用方秘録』（木俣家本）では、直弼が彦根藩邸に帰った後に家臣の宇津木らと議論した内容が書かれている。そこには、直弼のまったく違った姿があった。

宇津木は、勅命には諸大名と協議することを求めており、それを省いたとなると朝廷の逆鱗に触れると指摘した。直弼は大きなミスを犯したことに気づき愕然とし、大老職の辞意をもらす。直弼の家臣らは神奈川に使者を送って調印を差し留めるべきと対処案を示したが、直弼は既に将軍から了解を得ている案件であり、もはや自分にはそうしたことはできないと肩を落とした。一同は、朝廷の怒りが直弼に集まることを危惧した。気落ちした直弼に対して、宇津木は大老辞任となると「陰謀之術中ニ落入《におちいる》」だけだと激励した。[25]

十九日、井上と岩瀬は江戸城を出ると急ぎポーハタン号に向かい、直ちにハリスとの間で条約を調印した。直弼は宇和島藩主の伊達宗城宛の書状で苦渋を吐露している。「案外早々ノ調印、小子もあきれ申候、何分致方《いたしかた》も無キ次第ニ《に》相成、達し振等不行届、大ニ《おおいに》心配いたし候」[26]。

二十一日に、直弼は堀田と忠固を登城禁止とした。無勅許での条約調印を主張した2人であり、彼らに責任の一端があることを示す狙いがあった。二十三日に堀田と忠固を老中職から罷免し、後任の老中に、掛川藩主の太田資始《すけとも》、鯖江藩主の間部《まなべ》詮勝《あきかつ》、西尾藩主の松平乗全《のりやす》を任命した。

直弼にとって獅子身中の虫ともいえる井上と岩瀬も、外国交渉の職務から外された。井上は翌安政六年（1859）に小普請奉行へと降格となり、岩瀬は条約締結の3カ月後の九月には作事奉行へと転出した。日米修好通商条約締結を進めた老中と海防掛の枢要役人は皆、直弼の判断によって外国との交渉の場から外されていった。

㈣安政の大獄

▼直弼の力による抑え込み

条約調印を聞きつけた水戸藩の斉昭は反発した。六月二十四日の四ツ時（午前10時頃）、斉昭は尾張藩主の慶恕と水戸藩主である息子の慶篤とともに登城して、幕閣に厳しい抗議を行うこととした。御三家の登城日は決められており、予定日以外の不時登城であった。臨時に登城する場合はあらかじめ許可が必要であったにもかかわらず、斉昭は急ぎの案件として手続きを省いたのだ。

斉昭は条約調印が朝廷の意に反した違勅であるとし、直弼には切腹させると大声を上げた。新しく老中になったばかりの間部は御三家の応対なら自分自身がするとしたが、直弼は初対面の機会を断っては臆病に思われると同席した。斉昭の違勅であるとの抗議に対し、直弼はもし戦争となれば「百万之生霊塗《と》炭《たん》ニ《に》困し」、清国と同じ轍を踏んでしまうゆえに違勅ではないと反論した。斉昭は慶永をよべと要求するが、彼は大広間下の大名という待遇であることから、この場にそぐわないと老中側に拒否されてしまう。斉昭が慶永は「格別之者」であるから大老にすべきと主張すると、間部は「格別之者」との理由だけで取り立てるなら、同じ考え方で御三家でさえも御四家になってしまうと戯言まで言う余裕をみせ、一同笑い声が上がる有様だった。八ツ時（14時頃）には「手持無沙汰」となり、「初之《はじめ》御威勢事変わり、すごすご御退出」となった。城中に控えていた慶永は同席できず、彼もまた七ツ時（16時頃）には江戸城を出た[27]。また、例日登城で城内にいた慶喜は、別席で直弼に対して自ら京都に赴いて条約調印の報告をすべきと訴えたが、これも退けられた。

橋本左内が岩瀬忠震に御用部屋での様子を聞いたところ、岩瀬は次のように伝えた。本日黒白が決まると、誰もが理由もないのに松の廊下を行き来していたが、大老や老中の大笑いする声が聞こえて来て意外だった。老公（斉昭）は言葉に窮すると慶永をよべと言うが、慶永を頼みに登城したとすれば、今まで畏怖されてきた人物も耄碌したものだと老中たちに笑われる有様であったという。そして、「老公多年の威明今日に至って烏有《うゆう》（まったくなくなる）となれりと、諸有志の失望限りなし」と結んだ[28]。

直弼は斉昭らを論破しただけではなく、彼らの不時登城を規則違反として処罰の対象とした。七月五日、斉昭を駒込にある水戸中屋敷に移させ急度慎《きっとつつしみ》とし、慶恕と慶永を隠居した上での急度慎、そして慶篤と慶喜を登城停止とした。処罰を急いだ背景として、七月三日以来、将軍家定の脚気の病状が悪化していたことがある。六日に家定は35歳で死ぬが、彼の死は八月八日まで公表されず、その間に直弼は慶福を14代将軍家茂とする段取りを整えた。

▼戊午の密勅

幕府が朝廷に条約調印の宿次奉書を上奏すると、孝明天皇は憤った。六月二十八日に関白の九条尚忠に送った書簡では「武備整はず、敵し難き」とは「征夷之官職紛失」だとした。翌二十九日付の沙汰書で、無勅許での調印の理由を説明するよう、大老あるいは御三家の誰かを上京させるよう求めた。幕府は新任老中の間部詮勝を上京させると奏上した。

孝明天皇は自身の不満を示すため譲位の意思を言葉にした。朝廷は譲位を避けるべく、左大臣の近衛忠熙《ただひろ》・右大臣の鷹司輔熙・前内大臣の三条実万《さねつむ》らが朝廷内で衆議した。八月七日の朝議は深夜に及び、水戸藩に勅諚を送ることが決まった。関白の九条尚忠が水戸藩への勅諚は前例がないと署名を拒否したため、正式な勅諚ではないとして密勅といわれる。主要な内容は次の3点であった。

まず、条約調印は「諸大名の衆議を聞食《きこしめ》され度」との勅命に反しているとした。次に、三家あるいは大老に上京を求めたところ水戸藩・尾張藩は「当時慎《つつしみ》の趣《おもむき》に聞召《きこしめ》」され、その他の者も含めて「何等の罪状に候哉計り難」いことから、「宸襟（天皇）を悩ませ候」と不満を語った。そして、「彼是国家の大事に候間」につき、「大老・閣老・その他三家・三卿・家門・列藩・外様・譜代にも一同群議評定」を求めるというものであった。

八月八日付の勅諚は水戸藩京都留守居役の鵜飼吉左衛門に渡され、直ちに鵜飼の息子の幸吉によって江戸に運ばれた。同一文面の勅諚が2日後の十日に幕府に授けられ、九条尚忠は水戸藩にも同じ勅諚が送られた旨を書き添えた。水戸藩に送られた勅諚は、十七日に江戸の水戸藩邸に到着した。直弼は水戸藩に諸藩への伝達を禁じたが、その動きを朝廷は予期していた。近衛忠熙らは勅諚の写しを尾張藩・薩摩藩・加賀藩・長州藩・細川藩・越前藩など縁故のある13の大名に伝えたのだ。かくして、「戊午《ぼご》の密勅」として八月中旬には周知のこととなった。

彦根藩では、長野主膳が引き続き朝廷工作を担っていた。直弼は長野を江戸に呼び寄せ綿密に対策を擦り合わせた上で、京都に送り常駐させた。長野は関白九条尚忠の家臣島田左近と通じており、そのルートで活動していた。ところが、孝明天皇はこの時期、尚忠よりも忠熙に信頼を寄せていたのだ。勅諚に向けた動きを事前に察知できなかったことは、長野にとって大失態であった。ところが、彼は自分自身が責任を問われるのを避けるように、八月十五日の宇津木景福宛ての書状で一連の動きを「其元《そのもと》ハ悪謀方之手段より出《いで》候事」と報告した。[29][30]

▼水戸藩士らを断罪

直弼は長野主膳の報告を信じた。『公用方秘録』（木俣家本）九月十三日付には、「水府風聞書京都へ被遣候」と題して長野に宛てた直弼の書状の下書きが残されている。斉昭が次期将軍として慶喜を推したのは自分自身を後見人にする計画であり、江戸城内の役人にも同調する動きがあったとする。そして、不時登城で処分したことで立腹するばかりであり、その後も京都の地で「種々御手入有之《これあり》と画策を続け、「勅等被下候《くだされそうろう》場合ニ至り」と勅諚を水戸藩の策略だと決めつけた。[31]

間部詮勝は家定の忌明けの後に上京した。その主たる目的は条約調印についての朝廷への説明であったが、これに水戸藩への弾圧が加わった。間部は京都に到着後、十八日に鵜飼父子に出頭を命じ、十九日に獄につないだ。翌年一月にかけて京都にいる水戸藩士らの捕縛が行われた。安政の大獄の始まりであった。橋本左内も十月二十三日に町奉行に召喚となった。彼らは暮れから翌年の二月にかけて、江戸に監送された。吉田松陰は間部襲撃計画の露見により安政五年十二月に長州で獄につながれ、翌年四月に幕府の命により江戸に送られた。

江戸では老中の松平乗全を裁許掛として取り調べが行われたが、摘発の狙いは水戸藩の陰謀を暴くことにあった。とりわけ斉昭の関与が焦点であった。直弼とその周辺は前年春の将軍継嗣問題以来、斉昭陰謀説に凝り固まっていたのだ。四月二十四日、水戸藩家老の安島帯刀《あじまたてわき》、右筆頭取《ゆうひつとうどり》の茅根伊予之介、勘定奉行の鮎沢伊太夫にまで出頭命令が下った。水戸藩は大混乱となった。その様子を宇津木は冷ややかな目線で長野に伝えている。「帯刀御預ケニ相成候事ハ、殊之外御迷惑之由ニ而《しこうして》御嘆訴被成《なされ》候得《え》とも、御聞届無之《これなき》由ニ御座候。……いつれ天狗共ニハ騒立可申《さわぎだてもうすべく》、不遠《とおからず》自滅可致《いたすべく》、是ニ而《しこうして》真ニ太平ニ帰し候事と奉存《ぞんじたてまつり》候」。ここでいう天狗とは水戸藩の天狗党を指し、尊王攘夷を旗印とする活動的なグループで、宇津木は幕府の締め付けにより自滅するとの見通しを示した[32]。

幕府は、安政六年八月二十七日、十月七日、十月二十七日の3度にわたって断罪した。まず、斉昭は戊午の密勅を画策した罪により水戸において永蟄居、慶篤は斉昭への処置不行届で差控（九月末で解除）、慶喜は隠居・慎となった。安島は切腹、茅根と鵜飼父は死罪、鵜飼子は獄門、鮎沢は遠島となる。この日、作事奉行へと転出した岩瀬も永蟄居を言い渡された。十月以降の断罪では、橋本左内と吉田松陰が死罪となった。

松平慶永は『逸事史補』で次のように書いている。「安島、茅根、橋本其他有志の捕縛」について、町奉行・勘定奉行・大目付などは「さして格別の罪状これ無く、しかしながら罪状なしとも申し難し」とし、「流罪、追放、永蟄居にて刑事伺」を出した。老中も一見して、「此位にて然るべき」との評議となり、直弼に差し出すと一両日留め置かれ、附札《つけふだ》によって指示すると言われた。2、3日後に、「俄かに掃部頭（直弼）より附札に死刑とありて、一同心中驚愕せり」との状況となった。とはいえ、「当時掃部頭は、飛鳥も落ちる程の勢い故《ゆえ》に、役人も、これを押返すこと不能にして、惨酷の刑に処せられたり」。慶永は、この事実について衆人は知らないため記述するものだ、と結んだ。

▼「叡慮御氷解」と「攘夷猶予」

一方、間部が安政五年秋に京都に赴いた主な目的である条約調印についての朝廷への説明はどうであったか。間部はその場しのぎの弁明を平然と行った。外国と今戦っても勝ち目がないのでまずは条約を結ぶが、その間に海防を整備し、外国と戦うことを検討する。条約調印の際に直弼は病気であり、堀田と忠固が井上・岩瀬に命じて調印したもので、その根本には水戸の斉昭の姦計がある。このような論旨であった[33]。

十二月三十日、九条尚忠は間部に孝明天皇の「叡慮御氷解」と伝えた。しかし、それは「何《いず》れ於《において》蛮夷相遠け」「鎖国之良法」に引き戻すとの条件がついていた。攘夷猶予を前提としての諸事情の「御氷解」なのだ。間部はそれでも「叡慮御氷解」を大成果として江戸に戻った。

直弼は困惑した。攘夷猶予などということが公に知られたら、条約を締結したアメリカ・イギリス・ロシア・フランスだけでなく、諸外国が黙っているわけがない。直弼としてみれば、間部は実行不可能な条件を引き受けてしまったのだ。間部は自身の「成果」を公表するよう強く主張したものの、直弼は九条忠尚と相談し、「叡慮御氷解」の発表を差し控えた。条約調印の違勅の状況は一向に決着をみることなく安政六年が終わった。むしろ、条約調印をめぐる朝廷との交渉に関しては、直弼の進退は極まってしまった。[34]

井伊直弼研究の第一人者であった東京大学・駒沢大学の吉田常吉教授は、直弼には２つの錯誤があったとする。ひとつは条約調印について自ら上京し説得する機会を逃したため、独断専行との印象を持たれたというものだ。もうひとつは長野主膳の報告を過信して陰謀論に染まってしまったことで、これが安政の大獄を招いたとみる。[35]

㈤桜田門外の変

▼勅諚の返還

安政の大獄の影響は朝廷に及んだ。安政六年四月二十二日、戊午の密勅たる勅諚を発出した中心人物であった近衛忠熙・鷹司輔熙・三条実万は落飾を強要され、幕府の内奏によって慎《つつしみ》を命じられた。九条尚忠が再び朝廷を掌握した。

長野は朝廷に対し、水戸藩に送った勅諚の返納を命ずるよう画策した。安政六年十二月十日、朝廷から水戸藩主の徳川慶篤に対して勅書返納の沙汰書が送られた。直弼は、３日以内に返納しなければ違勅にあたると慶篤に迫った。

しかし、勅諚は小石川の上屋敷から水戸の廟堂に移されていた。慶篤は水戸藩取り潰しの危機だとの認識から、斉昭に勅諚を幕府に返還するとの意向を示した。水戸での議論では、理屈からして幕府ではなく朝廷に対して勅諚を返納すべきとされ、二十五日にその旨を布告した。

水戸藩の天狗党の激派（行動派）はこの布告に反発し、勅諚返納阻止のために水戸城から南に二里ほどの水戸街道の長岡宿に集結した。一方、新しく老中になった磐城平藩主の安藤信睦《のぶゆき》は安政七年一月十五日、慶篤に再び幕府への勅諚返納を迫った。状況に窮した水戸藩は二月十五日に激派の処分を決定し、斉昭も同意した。十八日に激派の中心人物である高橋多一郎・金子孫二郎・関鉄之介らを召喚すべく動いたが、彼らは既に脱藩した後であった。長岡宿に集結していた激派グループは高橋らが江戸に向かったと知り、彼らの後を追った。[36]

▼水戸浪士の襲撃計画

二月二十二日以降、水戸を脱出した藩士は江戸に到着した。リーダーの金子孫二郎は稲田重蔵と佐藤鉄三郎を連れ、二十五日に神田佐久間町の岡田屋方、次いで二十六日に三田にある薩摩藩邸の小屋に潜んだ。二十八日に金子は薩摩藩の有村雄助・次左衛門兄弟と会い、彼らも襲撃計画に参加することとなった。三月一日、金子の指示により、日本橋西河岸の料亭山崎屋で会合が開かれた。参加したのは、金子孫二郎、有村兄弟、関鉄之介、斎藤監物、稲田重蔵といったメンバーであった。江戸に集結した人数が予想外に少ないことを不安視する意見が出たものの、稲田重蔵が「時日を遷延せば、大事露顕する恐れがある」とし、一同も「既に二十人も御座りますれば、充分」と威勢を挙げた。

襲撃日は2日後の三月三日とした。その日は上巳の節句であり、直弼は必ず登城するだろう見定めたからだ。場所は桜田門外、各人は武鑑を手にして大名行列の見物を装い、4、5人を一組にして相互に応援し、初めに先供を討ち取って駕籠脇が狼狽する様を見て「元悪」（直弼）を討ち取り、必ず「元悪」の首級を揚げる、というものだった。当初は、直弼の首を京都まで持っていく案が出たが、これは難しいとしてやめた。金子および有村兄ら数名は京都に向かい薩摩藩の蜂起と行動をともにするとした。したがって、桜田門外で襲撃するメンバーは全部で18名となった。

翌二日、襲撃のメンバーは小石川の水戸藩邸の目安箱に「御暇被下度《くだされたく》」との脱藩状を投じ、その日の晩に品川の妓楼相模屋に集結した。初対面同士の者もおり、金子や有村兄弟は参加していなかった。彼らはこの妓楼から翌朝、集合場所の愛宕山に向かった。

▼松平信発の忠告

水戸藩士が江戸に向かったとの話は、幕府にも伝わっていた。幕府は二月二十二日に会津藩主の松平容保《かたもり》、常陸土浦藩主の土屋寅直《ともなお》、下総国古河藩主の土井利則、常陸国笠間藩主の牧野貞直らに脱藩者の逮捕を指示した。二十三日には町奉行・勘定奉行・外国奉行・火付改役に対し、取締りを厳重にし、飛び道具の使用も許可した。[37]
二月二十八日、上野吉井藩主の松平信発《のぶおき》（当時、信和《のぶやす》）は登城前の直弼と面談すべく彦根藩邸を訪れた。信発は直弼に対し、長岡宿の浪人が脱出したと聞いており、用心した方がいいと忠告した。しかし直弼は、「脱藩ノ届之有り候へ共、是ハ虚勢ヲ以テ人を威スノ計策ト存ぜられ候。自ラ人ヲ殺スト云フモノニ、人ヲ殺得《ころしえ》ヌと同様ノ事ニ候。且《かりに》二十人ヤ三十人ニテ入来リ候トテ、何程《なにほど》ノ事モ之有ルベカラズ」と返した。信発は「其ハ甚ダ不然《しからず》と存候」とし、今は早く大老職を辞任し、しばらく溜間詰大名の立場に戻り、騒動が収まった後で復位してはどうかと話すと、「御忠告ノ趣、実ニ感謝致し候」としつつも、「先《さきの》将軍（家定）ノ遺命ヲ奉じ、六尺ノ幼君（家茂）を補佐候事ユヘ、一身ノ危キヲ顧《かえりみ》テ其職ヲ去《さり》候テハ、先将軍ニ負《そむ》ク」と答えた。信発が以前のように供回りの人数だけでも増やして用心してはどうかと提案すると、直弼は「死生禍福ハ皆天命に在リ」とし、「諸侯従士ノ数ハ、自然《おのずから》格式ノ定之有《さだめこれあり》、大老ノ職ニ居テ自ラ格式ヲ破候テハ、他ノ示《しめし》ニモ相成ラズ」と退けた。

直弼には、安政五年七月に斉昭らの不時登城を捉えて謹慎などの処分をした経緯があった。彼としては自ら規則違反をすることに強いとまどいがあったのだろう。信発がなおも職務に倒れることになれば犬死だと強い口調で諭すと、直弼は「水戸君臣ノ幕府ヲ怨《うらみ》候ハ、畢竟某《それがし》ガ斯世《このよ》ニ居候ユヘニテ候。万一某ガ刺客ノ手に罹《かかり》候時ハ水戸ノ怨モ稍々《しょうしょう》解ケ、却《かえっ》テ天下ノ御為ニ相成る」と開き直り、憮然として怒りをみせて退出した。[1]

▼季節外れの積雪

三日の未明、夜半から降り始めた霰交じりの雪は積もっていった。『桜田義挙録』では「幾寸」とある。また、桜田門外の変と同じ年に描かれた「桜田門外之変図」（茨城県立図書館、カバー装画）を見ると一面に雪が積もっており、少なくとも5センチメートル以上の積雪であろう。

表6－1にあるように安政七年三月三日とは、現在の暦では3月24日にあたる。気象庁天気相談所の調べによれば、東京での各シーズンの終雪（最後の降雪日）でもっとも遅い降雪は、1877年以降では1967年と2010年の4月17日だ。これをみると3月24日はさほど遅いものではない。しかし、空から単に雪が降るのと積雪に至るというのでは、状況がまったく異なってくる。

東京での積雪量についての詳細なデータは1961年以降しか得られないが、1961年から2020年までの60年間のうち、3月下旬以降の降雪日ではほとんどが積雪0センチメートルである。表6－2にあるように、3月20日以降で積雪が観測された日は9日だけだ。このうち、安政七年並みの積雪5センチメートル以上となると、1974年3月27日の7センチメートルと翌日28日の5センチメートル、1986年3月23日の9センチメートル、そして1988年4月8日に9センチメートルと3つの事例しかない。つまり、桜田門外の変に匹敵する積雪をもたらす降雪は、この60年間で3回にとなり、20年に1度の稀な現象であった。ちなみに図6－3にあるように、1974年と1988年のケースも南岸低気圧による降雪であることがわかる。1986年のケースも同様だ。

雪が降っていた時間については、桜田門外

表6－2　東京での3月下旬以降の積雪日（1961〜2020年）

年月日	積雪日中最深度（cm）
1986/3/23	9
1988/4/8	9
1974/3/27	7
1974/3/28	5
1986/3/24	4
1961/3/26	3
1961/3/27	2
1988/3/26	1
2020/3/29	1

（日中最深度が大きい順に示す）

出典：気象庁HP

図6－3　東京での遅い積雪（1974年、2010年）

(1) 1974年3月27日

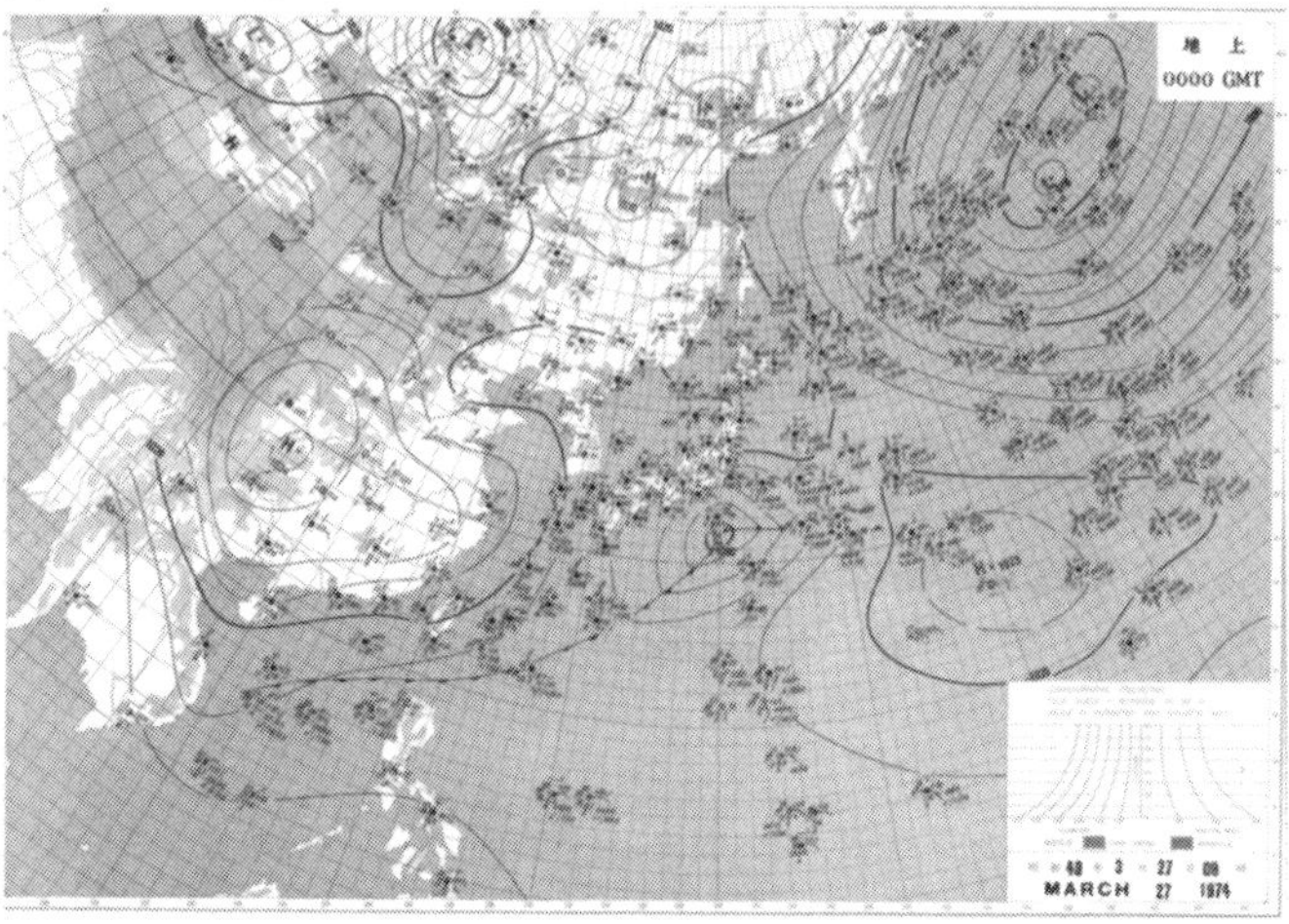

(2) 1988年4月8日

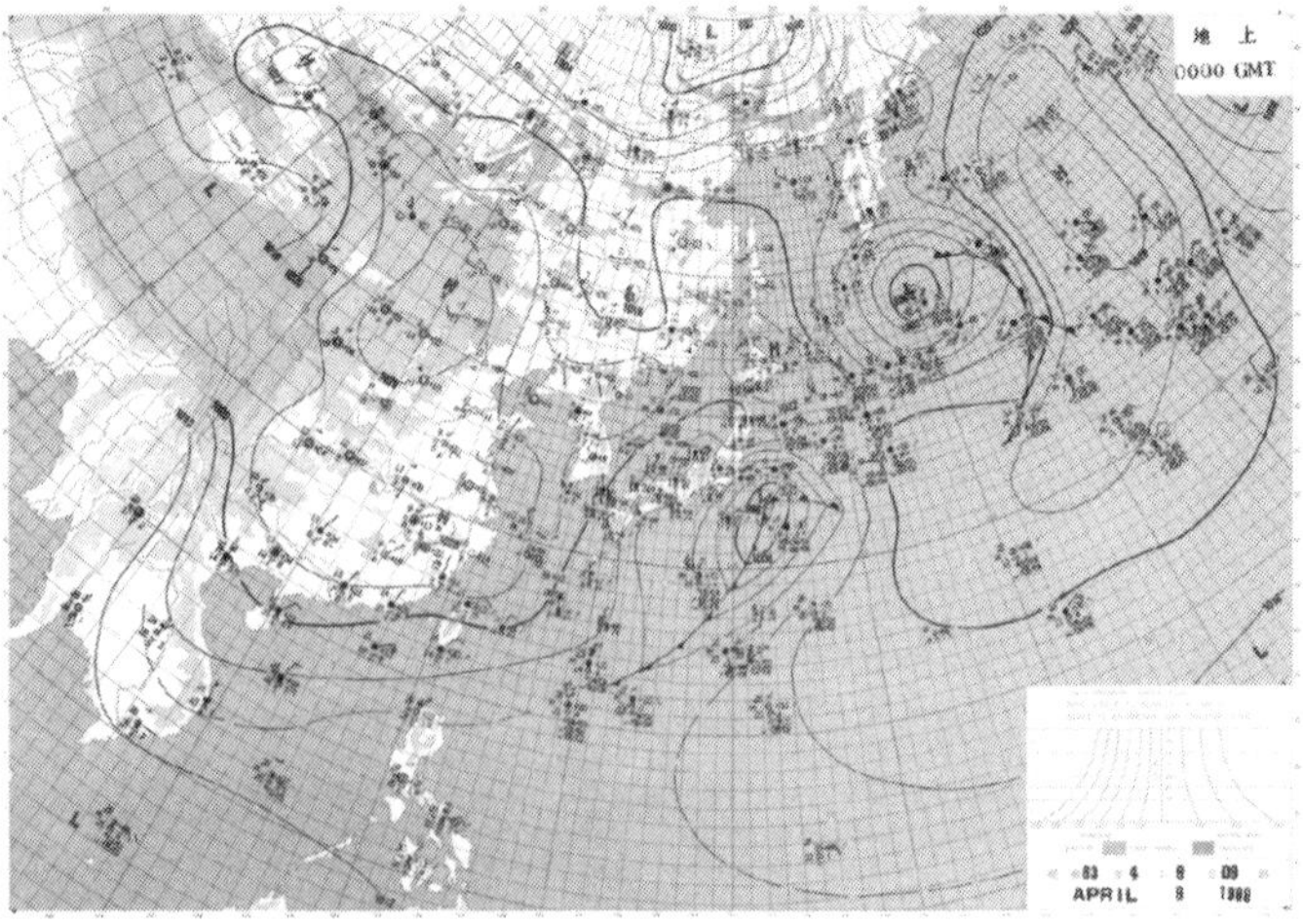

原典：気象庁「天気図」、加工：国立情報科学研究所「デジタル台風」
http://agora.ex.nii.ac.jp/~kitamoto/

表6－3　江戸での1860年前後の降雪日数

シーズン	11月	12月	1月	2月	3月	4月	計
1846/47	0	1	1	0	0	0	2
1847/48	0	0	1	3	0	2	6
1848/49	0	0	2	4	1	0	7
1849/50	0	0	0	4	0	0	4
1850/51	×	0	1	4	3	0	8
1851/52	0	0	2	4	2	0	8
1852/53	×	×	×	×	×	×	0
1853/54	3	1	1	1	0	0	6
1854/55	0	0	2	0	1	0	3
1855/56	0	0	3	4	0	0	7
1856/57	0	0	1	3	2	0	6
1857/58	0	2	2	3	2	0	9
1858/59	0	2	2	4	1	0	9
1859/60	0	2	0	2	6	0	10
1860/61	×	×	×	1	1	0	2
1861/62	0	2	2	0	1	0	5
1862/63	0	1	1	1	0	0	3
1863/64	×	×	×	×	×	×	0
1864/65	0	0	0	4	2	0	6
1865/66	0	0	1	2	1	1	5
平均	0.19	0.65	1.29	2.44	1.28	0.17	5.30

注：×は記録なし。
出典：福眞吉美（2018）：弘前藩庁日記ひろひよみ【御国・江戸】．北方新社

の変のあった安政七年では『弘前藩庁江戸日記』に早朝から降り始め、「午之刻（12時頃）止ム」とあり、8時間以上降っていた。1974年の降雪時間は降水量と気温からほぼ終日、1986年の場合は朝からの雨が昼頃に雪に変わり20時頃まで、そして1988年では午前0時頃から8時頃までと考えられる。雪が降る時間の違いは南岸低気圧が東進する速度が大きな要因だが、安政七年のケースは降り始めの時刻や降雪の時間帯からして、1988年に近いようだ。

このように比較すると、地球温暖化の影響を受けている20世紀以降と安政七年の降雪・積雪では大気などの地球環境が異なるとの見方もあろう。確かに安政七年（1860）の江戸（東京）での桜の満開日は今日の暦で4月26日であり、これに対して1974年は4月9日、1988年は4月15日と10日以上も遅い[38]。ところが、江戸時代の降雪日数はさほど多くない。表6－3は安政七年を挟む20年間の各月の降雪日数を示したものだが、ひとつのシーズンで平均5・3回というのは現在とあまり変わらない。幕末の江戸にあっても、降雪は珍しく、積雪となると稀な現象であった。

そして、安政七年は降雪日が10日と表で示した期間中もっとも多く、とりわけ3月の6日は目立つものだ。桜田門外の変があった三月三日の2日後の三月五日（3月26日）も雪が降っている。安政七年三月における関東周辺の気象状況に、雪を多く降らせる要因に何があったのだろうか。

▼江戸東京三大大雪事件をもたらした2つの要因：ラニーニャ現象と北極振動

第2章で触れたが、太平洋の東部熱帯域の海面水温の変動は3カ月以上という時間軸での長期の気候を大きく変える力を持っている。この海域の海面水温が平年よりも高くなるとエルニーニョ現象、

図6－4　北極振動指数

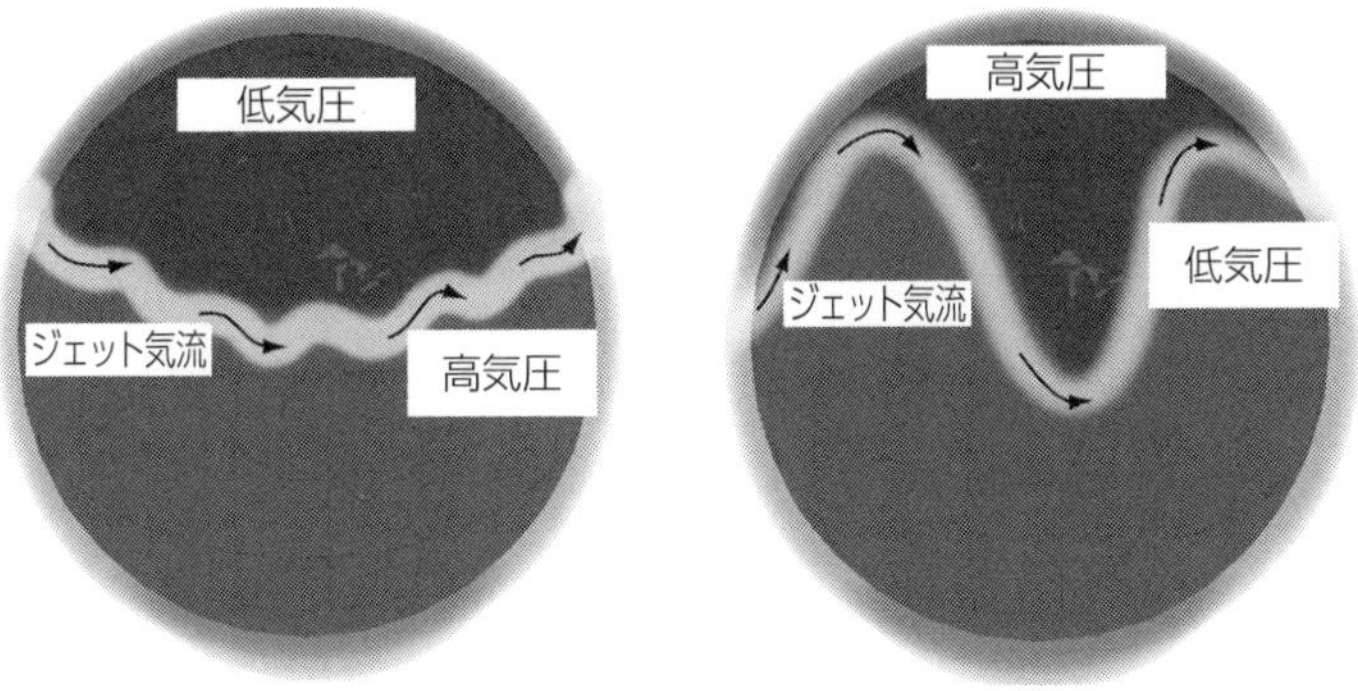

出典：アメリカ海洋大気庁

反対に平年よりも低くなるとラニーニャ現象が発生したときという（図2－4の左）。エルニーニョ現象が発生したときの東日本と西日本の冬の天候は統計的に5割以上の確率で暖冬となる。エルニーニョ現象によって地球規模の気圧配置が変化し、太平洋西部に高気圧が発生するケースが多くなり、シベリアからの寒気が日本列島に流れて来るのを妨げるからだ。反対にラニーニャ現象となると、冷たいシベリア高気圧からの寒波が冬将軍として日本列島に到来しやすくなり、厳しい寒さとなる。

とはいえラニーニャ現象が発生した冬に、シベリア高気圧からの強い寒気が日本列島に押し寄せ続けるわけではない。1月であっても、暖かく妙に春めいて感じる日々もある。これは北極振動という別の要因が関係している。北極振動は北極と北半球の中緯度の気圧の関係を示すもので、北極側が低気圧で周囲が高気圧になった場合を北極振動指数がプラス、反対に北極側が高気圧で周囲が低気圧の場合を北極振動指数がマイナスとよぶ（図6－4）。

そして、北極振動指数がプラスになると寒帯前線ジェット気流が比較的真っすぐに東に向い、反対に北極振動指数がマイナスになると寒帯前線ジェット気流は蛇行する。問題になるのは後者だ。日本列島付近が蛇行の谷に位置すると、北西方向からシベリアから寒気が流れ込む。一方で日本付近が蛇行の山に位置すると、太平洋の空気が北上してくる。このとき、関東平野では気温が暖かくなるが、亜熱帯ジェット気流が日本列島の太平洋側を通ることで南岸低気圧が発生しやすくなる。

つまり、ラニーニャ現象により気温が低い中で北極振動指数がマイナスになったときに、南岸低気圧が本州の太平洋沿岸を東進し、関東平野に雪をもたらす傾向が強くなる。もちろん、自然現象ゆえ例外もあり、さまざまな要因も考慮しなければならない。ラニーニャ現象と北極振動指数がマイナスという組み合わせだけで単純に関東平野の降雪が決まるわけではないが、この2つは重要な指標となっている。

1961年以降の3月下旬に東京で5センチメートル以上の積雪となった3つの事例をみてみよう。1974年3月は、ラニーニャ現象の中で北極振動指数がマイナスという典型的な例であった。1988年4月ではラニーニャ現象とは特定されていないものの、エルニーニョ監視指数ではラニーニャ現象の傾向がみられ、北極振動指数はマイナスになっていた。一方、1986年3月はエルニーニョ監視指数ではラニーニャ現象の傾向であるものの、北極振動指数はプラスであった。

江戸東京三大大雪事件ではどうだろうか。まず、赤穂浪士の討ち入りがあった元禄十五年十二月（1703年1月）の場合、300年ほど前のため太平洋の東部熱帯域の海面水温の観測など行われていない。しかし、北米大陸やインドネシアの樹木年輪やガラパゴス諸島の珊瑚礁に含まれる酸素同

図6－5　1860年前後の冬季の北極振動指数の推定

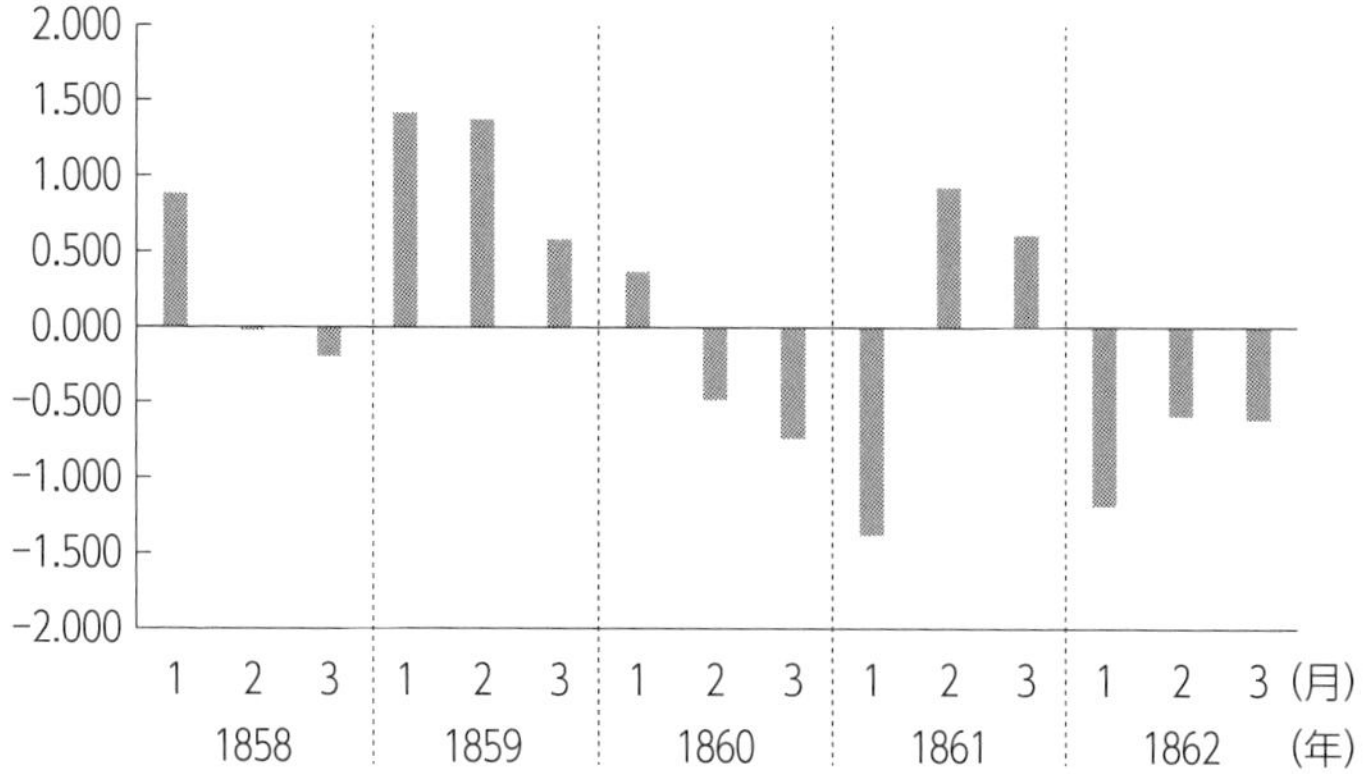

出典：Thompson & Wallace（2000）https://atmos.colostate.edu/~davet/ao/Data/ao_index.html

位体などの代替資料から推定した研究成果によれば、ラニーニャ現象の年であったようだ。北極振動指数については不明だ。次に、2・26事件の起きた1936年2月では既に気象観測が実施されており、明確にラニーニャ現象があった年であり、この月の北極振動指数はマイナスであった。

それでは、安政七年三月（1860年3月）は果たしてどうであったか。赤穂浪士の討ち入りの年と同様に代替資料から推定するしかないが、1850年代後半までエルニーニョ現象の傾向であったのに対して、1860年前後はラニーニャ現象の傾向になったことが示されている。そして、当時の北半球の地上気温を用いたシミュレーション・モデルで冬季の北極振動指数を推定したところ、1860年1月までプラスであったのに対し、2月からマイナスに転じた結果が出ている（図6-5）。となると、ラニーニャ現象のもとでの北極振動指数がマイナスという関東平野に降雪をもたらす典型的な状況は、江戸東京三大大雪事件に共通するものであったのかもしれない[39][40][41]。

▼桜田門外での直弼の2つの不運

脱藩した水戸浪士17人と薩摩藩士の有村次左衛門の18人は、六ツ半（午前7時頃）に愛宕山に集結し、五、六人の組ごとに桜田門外に向かった。五ツの辰ノ刻（午前8時頃）から登城は始まる。18人は武鑑を手に彦根藩の登城を待った。彦根藩邸は桜田門の西にあり、東に400メートルほど進んだ後に左に折れて桜田門をくぐる。関鉄之介は、江戸城の堀に面した側に6人、反対の杵築藩邸（現・警視庁）側に5人、前衛に森五六郎、後詰に3人を配した。残りの3人は事態を見届けて品川に待機する金子への報告係2人、そして現場指揮官の関であった。

登城前、直弼は自身の居室で前夜に彦根藩の目安箱に投げ込まれた文書の封を開けた。そこには、長岡勢の脱走ゆえ油断するなと書かれていたが、直弼は何事もなかったように駕籠に向かった[42]。文書の内容が4日前に信発が忠告したものと同じであったからかもしれない。脱藩者が20人、30人いたとしても、登城の際の彦根藩の供回りは足軽を含めて60人いる。そして、直弼自身は居合の達人であった。

五ツ半（午前9時頃）に彦根藩の赤門が開き、直弼の駕籠を中心とする行列が門を出た。時ならぬ大雪ゆえ、供の者は雨合羽を着用し、鞘の中に湿気が入らぬように刀に柄袋をつけていた。行列が桜田門外まで進んだとき、森五六郎が直訴状を手にしたふりをして前方に飛び出した。先供が驚く隙を捉えて、森は刀で面を割った。森の行動が発端となり、水戸浪士と薩摩藩士が斬り込んだ。この時、彦根藩の供の者は足軽も含めて雨合羽により行動が妨げられ、刀を抜こうとしても柄袋のため容易に抜けなかった。防雪対策が、直弼と彦根藩にとって不運のひとつであった。

そして、短銃による一発の銃声が響いた。誰が撃ったのかはっきりとわかっていない。桜田門外まで短銃を携行したのは、関鉄之介と森五六郎であった。森はその後の取り調べで自分は撃っていないと語っており、関が合図として発砲した可能性はないではない。しかし、関が黒沢忠三郎に短銃を渡し、黒沢が駕籠に向けて発砲したと考えられている。そして、この弾が直弼の太腿から腰を貫通したのだ。乱闘の最中において、奇跡といっていい命中であった。直弼は腰の神経を損傷し、駕籠に蹲ったまま外に出ることができなかった。彼にとって2つ目の不運であった[43]。

杵築藩邸から直弼の最期を目撃した証言がある。そこには、駕籠の周辺に守り手が不在になった隙に「大兵の男一人、並背の男一人駕籠を目がけ、頓《やが》て上下《かみしも》着たる主人を引き出し、一人は背中三太刀程打候《ほどうち》が、マリ抔《など》蹴候様、音三度計《ばかり》いたし候と、彼の大兵の男首を切り、大音を発し、井伊掃部《かもん》とまでは聞こえ」たとある。大兵の男とは、薩摩藩士の有村次左衛門、並背の男は稲田重蔵であった。稲田は井伊家の者に斬られ、その場に捨てられた。有村は直弼の首を刀の剣先に掲げ、傷を負った水戸浪士とともに、江戸城の堀沿いに日比谷方向へ向かって歩いていった[44]。

▼すべてが雪とともに消え去り、新しい時代が始まる

深手を負った有村が若年寄遠藤胤統《たねのり》の辻番所で自刃したため、直弼の首は遠藤家に保管された。彦根藩の家臣が先供の加田九郎太という別人の首だとして取り戻し、藩医岡島玄達によって首と胴が縫

い合わされた。公式には三月晦日に幕府から直弼の大老職を解かれ、彦根藩では翌日の閏三月一日にその喪を発表した。登城中の斬死とされず、井伊家は存続した。

桜田門外の変に参加した水戸浪士と薩摩藩士は、事件現場で討死、深手を負っての自刃、怪我が重く各藩に自首、その他の者は京都へ向かうなど逃走となった。逃走した者のほとんどは捕縛され、斬死の刑を言い渡された。身を隠して逃げ切り、明治時代まで生き延びたのは2名であった。

歴史の舞台から降りたのは、当事者の井伊直弼と襲撃した水戸浪士・薩摩藩士だけではなかった。水戸藩の徳川斉昭は5カ月後の万延元年八月十五日に心臓発作で急死した。その後、水戸藩は天狗党をめぐって藩内抗争に明け暮れた。

関白の九条尚忠は和宮降嫁への批判が強く、文久二年（1862）六月に関白と内覧を辞任した。尚忠の家臣で彦根藩の長野主膳と連携していた島田左近は、翌七月に京都で暗殺された。彦根藩では、直弼の路線を修正する機運から尊王攘夷を信奉する家老の岡本半介が実権を握った。直弼に水戸藩陰謀論を唱え続けた長野は同年八月に、そして宇津木景福は十一月に彦根藩で斬死に処された。

このように安政四年（1857）にハリスが来日して以降、将軍継嗣から条約調印まで日本の政治問題を動かしてきた人物は、誰もが桜田門外の変以降に歴史の舞台から消えていった。三月の常ならぬ大雪が江戸時代を象徴する統治機構の主演者たちをすべて覆い尽くし、残雪が融ける中で攘夷の妄執も陰謀への疑心暗鬼もすべて消え去ったかのようだ。そして新しい人間が檜舞台に登場し、明治維新の幕が開いていく。

from high-resolution palaeoarchives. *Journal of Quaternary Science* **21** (7) http://unsworks.unsw.edu.au/fapi/datastream/unsworks:943/SOURCE01?view=true
[41] Thompson & Wallace (2000): Annular Modes in the Extratropical Circulation. Part I: Month-to-Month Variability. *Journal of Climate* **13** pp. 1000-1016
[42] 岩崎英重（1911）：桜田義挙録（花）．吉川弘文館　p.179
[43] 吉田常吉（1985）：井伊直弼（新装版）．pp. 393-396
[44] 岩崎英重（1911）：桜田義挙録（花）．pp. 164-165

学　pp. 420-422 445
[16]　Harris（2017）：The Complete Journal of Townsend Harris. pp. 559-560
[17]　彦根藩史料調査研究委員会（2007）：史料・公用方秘録．彦根城博物館叢書7　彦根城博物館　p.14
[18]　日本史籍協会編（1968）：昨夢紀事（三）．東京大学出版会　pp. 358-362, 378-380, 404
[19]　東京大学史料編纂所（1967）：大日本維新史料 類纂之部 井伊家史料 6．東京大学　pp.261-262
[20]　日本史籍協会編（1968）：昨夢紀事（四）．東京大学出版会　pp. 14-15
[21]　母利美和（2006）：井伊直弼．p. 195
[22]　東京帝国大学編纂（1925）：幕末外国関係文書之二十．東京帝国大学文学部史料編纂掛　pp. 446-447
[23]　日本史籍協会編（1968）：昨夢紀事（四）．東京大学出版会　pp. 188-189, 203-205
[24]　東京大学史料編纂所（1967）：大日本維新史料 類纂之部 井伊家史料 7．東京大学　pp. 57-58
[25]　ここまで、彦根藩史料調査研究委員会（2007）：史料・公用方秘録．pp. 17-19
[26]　東京大学史料編纂所（1967）：大日本維新史料 類纂之部 井伊家史料 7．pp. 92-93
[27]　彦根藩史料調査研究委員会（2007）：史料・公用方秘録．pp. 27-29
[28]　日本史籍協会編（1968）：昨夢紀事（四）．pp. 270-272
[29]　吉田常吉（1991）：安政の大獄．吉川弘文館　pp. 229-230
[30]　東京大学史料編纂所（1967）：大日本維新史料 類纂之部 井伊家史料 8．東京大学　pp. 296-304
[31]　彦根藩史料調査研究委員会（2007）：史料・公用方秘録．pp. 90-91
[32]　前書，pp. 201-203
[33]　吉田常吉（1991）：安政の大獄．pp. 255-257
[34]　青山忠正（1999）：和親・通商・攘夷．佛教大学紀要　6　pp. 23-42
[35]　吉田常吉（1985）：井伊直弼（新装版）．吉川弘文館　pp. 375-379
[36]　前書，pp. 379-383
[37]　水戸浪士の襲撃計画からここまで，岩崎英重（1911）：桜田義挙録（月）．吉川弘文館　pp. 825-833
[38]　大阪府立大学、青野靖之准教授HP　http://atmenv.envi.osakafu-u.ac.jp/aono/
[39]　Lie et al.（2011）：Interdecadal modulation of El Niño amplitude during the past millennium. *Nature Climate Change*　1　pp. 114-118（1,100 Year El Niño/Southern Oscillation（ENSO）Index Reconstruction. http://climexp.knmi.nl/getindices.cgi?NPERYEAR=1&STATION=Li_ENSO&TYPE=i&WMO=RapidData/enso_li&id=$id ）
[40]　Gergis et al.（2006）：Reconstructing El Niño–Southern Oscillation（ENSO）

[29]　高柳眞三・石井良助編（1958）：御触書寛保集成．第1731、1732号
[30]　百瀬明治（1995）：徳川吉宗．角川書店　p. 85
[31]　菊池勇夫（1997）：近世の飢饉．pp. 89-93
[32]　辻達也（1985）：徳川吉宗．pp. 95, 96
[33]　高柳眞三・石井良助編（1958）：御触書寛保集成．第1834号
[34]　大塚英樹（1999）：江戸時代における改鋳の歴史とその評価．*日本銀行金融研究所／金融研究*　**9月**
[35]　辻達也（1985）：徳川吉宗．pp. 197-199
[36]　大石学（2001）：吉宗と享保の改革．pp. 322-324
[37]　辻達也（1985）：徳川吉宗．pp. 106-109
[38]　大石学（2003）：享保改革と社会変容，pp. 26,27
[39]　大石学（2001）：吉宗と享保の改革．pp. 325-331
[40]　笠谷和比古（1995）：徳川吉宗．pp. 207, 208
[41]　大石学（2001）：吉宗と享保の改革．pp. 298-301, 339-341, 353

第6章

[1]　中村忠誠編（1891）：盤錯秘談．pp. 83-87
[2]　海後磋磯之介（1916）：春雪偉談．（日本史籍協会編『水戸藩関係文書（一）』所収）　日本史籍協会p. 660
[3]　八尾孝，山口俊一，松原竹男（2001）：南岸低気圧による関東・甲信地方の大雪（2001年1月27日）．平成13年度量的予報研修テキスト 気象庁予報課
[4]　荒木健太郎，北畠尚子，加藤輝之（2019）：南岸低気圧による関東大雪における総観・メソスケール環境場と雲の相互作用．（気象研究ノートNo.240号「南岸低気圧による大雪Ⅱ.マルチスケールの要因」所収　pp. 189-199）　日本気象学会
[5]　渡辺修二郎（1910）：阿部正弘事績．pp. 307-309
[6]　東京帝国大学編纂（1925）：幕末外国関係文書之十七．東京帝国大学文学部史料編纂掛　pp. 74-75
[7]　日本史籍協会編（1968）：昨夢紀事（一）．東京大学出版会 p. 64
[8]　東京大学史料編纂所（1967）：大日本維新史料 類纂之部 井伊家史料 5.東京大学　p. 445
[9]　石井孝（2010）：日本開国史．吉川弘文館　pp. 315-316
[10]　母利美和（2006）：井伊直弼．幕末維新の個性6　吉川弘文館　pp. 180-181
[11]　日本史籍協会編（1968）：昨夢紀事（二）．東京大学出版会 pp. 324-326
[12]　松平慶永（1968）：逸事史補．幕末維新史料叢書4　人物往来社　p.12
[13]　日本史籍協会編（1968）：昨夢紀事（二）．東京大学出版会 p.336
[14]　Harris, Townsend（2017）：The Complete Journal of Townsend Harris. Forgotten Books pp. 538-539
[15]　東京大学史料編纂所（1967）：大日本維新史料 類纂之部 井伊家史料 5．東京大

[23]　『権記』長保二年十月六日、十二月七日
[24]　『紫式部日記』については、新潮日本古典集成〈新装版〉『紫式部日記　紫式部集』（新潮社，2017）に拠った。

第5章

[1]　大石学（2001）：吉宗と享保の改革．東京堂出版　p. 357
[2]　笠谷和比古（1995）：徳川吉宗．ちくま新書 044　筑摩書房　pp. 29, 30
[3]　遠藤元男（1989）：近世生活史年表．雄山閣出版　pp. 174, 175
[4]　辻達也（1985）：徳川吉宗．吉川弘文館　pp. 67-69, 73
[5]　大石学（2001）：吉宗と享保の改革．pp. 208, 209
[6]　辻達也（1985）：徳川吉宗．p. 75
[7]　大石学（2003）：享保改革と社会変容，吉川弘文館　p. 25
[8]　辻達也（1985）：徳川吉宗．pp. 79, 80
[9]　高柳眞三・石井良助編（1958）：御触書寛保集成．第1709号　岩波書店
[10]　辻達也（1985）：徳川吉宗．pp. 85, 86
[11]　大石学（2001）：吉宗と享保の改革．p. 232
[12]　北島正元（1977）：近世史の群像．吉川弘文館　pp. 224, 225
[13]　村上直・高橋正彦監修（1986）：日本史資料総覧．東京書籍　p. 158
[14]　辻達也（1981）：享保改革の研究．創文社　pp .263-265
[15]　高柳眞三・石井良助編（1958）：御触書寛保集成．第1897号，第1898号
[16]　村上直・高橋正彦監修（1986）：日本史資料総覧．p.172
[17]　百瀬明治（1995）：徳川吉宗．pp. 83, 84
[18]　江戸時代の六大飢饉について、拙著（2019）：気候で読む日本史．第五章　日経ビジネス人文庫　日本経済新聞出版社
[19]　浅見益吉郎（1979）：続日本紀に見る飢と疫と災．京都女子大学食物学会誌 34
[20]　中島陽一郎（1976）：飢饉日本史．雄山閣　pp. 10-13
[21]　ここまでウンカについて、岸本良一（1975）：ウンカ海を渡る．中央公論社　pp. 39, 40, 50, 62-70
[22]　岸本良一（1983）：ウンカ類の長距離移動．*三重大学農學部學術報告*　**67**　pp. 17-29
[23]　饒村曜（2002）：台風と闘った観測船．成山堂書店　pp. 43-52
[24]　朝日新聞．昭和42年10月12日夕刊
[25]　加藤輝之（2000）：1993年8月1日に南九州で発生したライン状豪雨の数値シミュレーション．*天気*　**47**（4）
[26]　日本気象予報士会編（2008）：気象予報士ハンドブック．オーム社　p. 29
[27]　池内長良（1992）：享保17（1732）年の稲作における水損・蝗害と注油情報の伝播．*人文地理*　**44**（1）
[28]　菊池勇夫（1997）：近世の飢饉．吉川弘文館　pp. 86,87, 99

Biometeorology 54（2）pp. 211-219
［5］ 清少納言が宮使いとなった時期について、岸上慎二（1987）：清少納言（新装版）. 吉川弘文館　pp. 36-38
［6］ 酒井シヅ（2008）：病が語る日本史. 講談社学術文庫　講談社　pp. 50-52
［7］ Fenner　et al.（1988）：Smallpox and its Eradication. World Health Organization　pp. 226, 228
［8］ 加藤茂孝（2009）：天然痘の根絶—人類初の勝利. *モダンメディア* **55**（11）pp. 7-18
［9］ 浅見益吉郎（1979）：続日本紀に見る飢と疫と災. 京都女子大学食物学会誌 34
［10］ Farris, William Wayne（2007）：Famine, Climate, and Farming in Japan, 670-1100.（in Mikael Adolphson, Edward Kamens, and Stacie Matsumoto eds. "Heian Japan; Center and Peripheries"）University of Hawaii Press pp. 292-294
［11］『栄花物語』については、新編日本古典文学全集『栄花物語①』（小学館,2008）に拠った。
［12］ 倉本一宏（2000）：藤原伊周の栄光と没落.『摂関政治と王朝貴族』所収 pp. 189-210 吉川弘文館
［13］ 土田直鎮（1967）：中関白家の栄光と没落. 國文學：解釈と教材の研究 12（7）, pp. 8-13
［14］ 土田直鎮（1973）：王朝の貴族. 日本の歴史5　中公文庫　中央公論社　p. 173
［15］ 林陸朗（1969）：所謂「延喜天暦聖代説」の成立.『延喜天暦時代の研究』所収 pp. 3-25 吉川弘文館
［16］ 戸田秀典（1969）：延喜・天暦の政治.『延喜天暦時代の研究』所収　pp. 51-86 吉川弘文館
［17］ Oppenheimer et al.（2017）：Multi-proxy dating the 'Millennium Eruption' of Changbaishan to late 946 CE. *Quaternary Science Review* **158** pp. 164-171
［18］ 早川由紀夫, 小山真人（1998）：日本海をはさんで10世紀に相次いで起こった二つの大噴火の年月日. 火山　43（5）　pp. 403-407
［19］ McLean et al.（2016）：Identification of the Changbaishan 'Millennium'（B-Tm）eruption deposit in the Lake Suigetsu（SG06）sedimentary archive, Japan: Synchronisation of hemispheric-wide paleoclimate archives. *Quaternary Science Review* **150** pp. 301-307
［20］ 倉本一宏（2000）：一条天皇後宮の変遷.『摂関政治と王朝貴族』所収 pp.122-153 吉川弘文館
［21］『権記』長保元年十一月七日。『権記』については、倉本一宏訳（講談社学術文庫, 2011, 2012）：藤原行成「権記」（上）（中）に拠った。
［22］『権記』長保二年正月廿八日。

［5］ 西本昌弘（2013）：桓武天皇：造都と征夷を宿命づけられた帝王．日本史リブレット人011　山川出版社 pp.5-6

［6］ 宮内庁HP　https://www.kunaicho.go.jp/okotoba/01/kaiken/kaiken-h13e.html

［7］『続日本後紀』承和十年七月二十三日

［8］ 藤尾慎一郎（2013）：弥生文化の輪郭．*国立歴史民俗博物館研究報告*　**178** pp. 85-120

［9］『日本後紀』弘仁二年閏十二月十一日

[10] 新野直吉（1995）：田村麻呂と阿弖流為．吉川弘文館　p.157

[11] 神英雄（1990）：桓武朝における造都と征討に関する歴史地理学的考察．*歴史地理学紀要*　**32**　pp. 21-43

[12] 福井俊彦（1989）：征夷・造都と官人．*史観*　**120** pp. 45-81

[13] 林陸朗（1972）：長岡京の謎．新人物往来社　pp. 47-48

[14] 鬼頭宏（2002）：文明としての江戸システム．日本の歴史19　講談社　pp. 68-69

[15] 清水みき（1986）：長岡京造営論．*ヒストリア*　**3**　pp. 28-51

[16] 松浦茂樹（1993）：古代の宮都の移転と河川．*水利科学* **211** pp. 41-63

[17] 林陸朗（1972）：長岡京の謎．新人物往来社　pp. 220-232

[18] 中塚良（1995）：古代宮都・長岡京の廃絶と自然条件の推移．吉野正敏・安田喜憲編『歴史と気候』所収　朝倉書店　pp. 171-182

[19] 国立歴史民俗博物館編（2009）：桓武と激動の長岡京時代．山川出版社　p. 126

[20] 清水みき（1995）：桓武朝における遷都の論理．（門脇禎二編『日本古代国家の展開　上巻』所収　思文閣出版　pp. 383-412）

[21] 吉野正敏（2009）：4〜10世紀における気候変動と人間活動．*地学雑誌* **118**（6）pp. 1221-1236

第4章

［1］『枕草子』については、新潮日本古典集成〈新装版〉『枕草子』（新潮社，2017）（上）（下）に拠った。三巻本を用いている。

［2］『大鏡』については、新潮日本古典集成〈新装版〉『大鏡』（新潮社，2017）に拠った。

［3］ Aono, Yasuyuki, Keiko Kazui（2008）：Phenological date series of cherry tree flowering in Kyoto, Japan, and its application to reconstruction of springtime temperatures since the 9th century. International Journal of Climatology 28 pp. 905-914

［4］ Aono, Yasuyuki, Shizuka Saito（2010）：Clarifying springtime temperature reconstructions of the medieval period by gap-filling the cherry blossom phenological data series at Kyoto, Japan. International Journal of

第2章

［1］ 辻善之助編（1967）：多聞院日記．第二巻　角川書店

［2］ 酒井憲二（1980）：『甲陽軍鑑』の成立と伝来をめぐって．腰原哲朗訳『甲陽軍鑑』（原本現代語訳，教育社）所収　pp. 487-498

［3］ 黒田日出男（2006）：『甲陽軍鑑』をめぐる研究史 ―『甲陽軍鑑』の史料論（1）―．立正大学文学部論叢 124 pp. 5-74

［4］ 佐藤正英校訂・訳（2006）：甲陽軍鑑．ちくま学芸文庫　pp. 353-361

［5］ 腰原哲朗訳（1980）甲陽軍鑑（原本現代語訳）．教育社　pp. 422-428

［6］ 新田次郎（1979）：梅雨将軍信長．新潮文庫　新潮社

［7］ 水越允治（2008）：古記録による16世紀の天候記録．東京堂出版

［8］ Cook et al.（2012）：Tree-ring reconstructed summer temperature anomalies for temperate East Asia since 800 C.E.. Climate Dynamics 41（11-12）pp. 2957-2972

［9］ 海洋研究開発機構HP 「熱い夏とインド洋ダイポールモード現象」（土井威志・気候変動予測応用グループ 研究員）http://www.jamstec.go.jp/apl/j/column/20170802/

［10］ 気象庁HP 「インド洋ダイポールモード現象発生時の日本の天候の統計的な特徴」https://www.data.jma.go.jp/gmd/kaiyou/data/db/climate/knowledge/ind/iod_nihon_month.html

［11］ 北村修（1995）：1994（平成6）年の日本の天候の特徴．*農業気象* **51**（2）pp. 159-165

［12］ 川嶋久義・高橋徹（2007）；平成6年渇水の全国的状況．*農業土木学会誌* **63**（1） pp. 43-48

［13］ 国土交通省HP「日本の水資源賦存量と使用量」https://www.mlit.go.jp/mizukokudo/mizsei/mizukokudo_mizsei_tk2_000012.html

［14］ 同上　http://www.mlit.go.jp/mizukokudo/mizsei/mizukokudo_mizsei_tk2_000014.html

［15］ 腰原哲朗訳（1980）甲陽軍鑑（原本現代語訳）．pp. 458-460

［16］ 拙著（2016）：異常気象で読み解く現代史．日本経済新聞出版社　pp. 64-67

第3章

［1］ 『日本後紀』については、森田悌訳（講談社学術文庫，2006）：日本後紀（全現代語訳）．（上）（中）を参考にした。

［2］ 吉川敏子（2006）：『日本紀略』藤原百川伝の成立．『律令貴族成立史の研究』所収　塙書房 pp. 249-261

［3］ 川尻秋生（2011）：平安京遷都．シリーズ日本古代史③　岩波新書1275　岩波書店　p.4

［4］ 『続日本紀』については、宇治谷孟訳（講談社学術文庫，1992,1995）：続日本紀（全現代語訳）．（上）（中）（下）を参考にした。

参考文献

はじめに

［1］ 木村靖二，岸本美緒，小松久男ほか（2019）：詳説世界史（改訂版）．山川出版社　pp. 4-5

［2］ 拙著（2019）：気候文明史．日経ビジネス人文庫　日本経済新聞出版　pp. 203-204

［3］ 拙著（2014）：異常気象が変えた人類の歴史．日経プレミアシリーズ　日本経済新聞出版　pp. 99-102

第1章

［1］ 『太平記』については、新潮日本古典集成〈新装版〉『太平記』（新潮社，2016）（一）（二）（三）に拠った。

［2］ 『梅松論』については、新撰日本古典文庫『梅松論』（現代思潮社，1975）に拠った。

［3］ Sampei et al（2005）：Paleosalinity in a brackish lake during the Holocene based on stable oxygen and carbon isotopes of shell carbonate in Nakaumi Lagoon，southwest Japan. Paleogeograhy，Paleoclimatology，Paleoecology 224 pp. 352-366

［4］ 磯貝富士男（2002）：中世の農業と気候．吉川弘文館　pp. 197-200

［5］ 前書，p. 218

［6］ 田中大喜（2011）：上野新田氏．（シリーズ・中世関東武士の研究　第三巻）戎光祥出版　p. 34

［7］ 田中大喜（2015）：新田一族の中世：「武家の棟梁」への道．（歴史文化ライブラリー408）吉川弘文館　p. 87

［8］ 前書，p. 156

［9］ 峰岸純夫（2005）：新田義貞（新装版）　吉川弘文館　p. 56

［10］ 磯貝富士男（2002）：中世の農業と気候．pp. 217-220

［11］ 山本隆志（2005）：新田義貞：関東を落すことは子細なし．ミネルヴァ書房　p. 136

［12］ 前書，pp. 180-181

［13］ 前書，p. 222

［14］ 気象庁　2020年11月10日「生物季節観測の種目・現象の変更について」https://www.jma.go.jp/jma/press/2011/10a/20201110oshirase.pdf

［15］ 青野靖之，谷彩夏（2014）：古記録中のカエデの紅葉記録から復元した京都の秋季気温の推移．*生物と気象*　**14**　pp. 18-28

［16］ 山本隆志（2005）：新田義貞：関東を落すことは子細なし．pp. 232-235

事柄索引

人名索引

【著者略歴】

田家 康（たんげ・やすし）

（株）農林中金総合研究所客員研究員。1959年神奈川県生まれ。81年横浜国立大学経済学部卒。農林中央金庫森林担当部長、（独）農林漁業信用基金漁業部長を経て現職。2001年気象予報士試験合格。日本気象予報士会東京支部長。著書に『気候文明史』『世界史を変えた異常気象』『気候で読む日本史』『異常気象が変えた人類の歴史』『異常気象で読み解く現代史』（いずれも日本経済新聞出版）がある。

気候で読み解く人物列伝　日本史編

2021年2月19日　1版1刷

著者　田家　康

発行者　白石　賢

発行　日経BP
日本経済新聞出版本部

発売　日経BPマーケティング
〒105-8308　東京都港区虎ノ門4-3-12

装幀　山口鷹雄

DTP　マーリンクレイン

印刷・製本　中央精版印刷

ISBN978-4-532-17698-3